écho junior

A1 **méthode de français**

J. Girardet
J. Pécheur

avec la collaboration de C. Gibbe

CLE
INTERNATIONAL
www.cle-inter.com

Crédits photographiques

Direction de la production éditoriale : Béatrice Rego
Marketing : Thierry Lucas
Édition : Pierre Carpentier
Conception graphique : Miz'en Page
Mise en pages : Isabelle Vacher
Recherche iconographique : Agnès Schwab
Illustrations : Adriana Canizo (pages « Outils » / pages « Échanges » unité 3 / pages « Entraînement ») – Leonardo Falaschini (Leçon 0 / pages « Échanges » unité 1) – Marcelo Benitez (pages « Échanges » unité 2)
Cartographie : Françoise Monestier
Studio d'enregistrement : Vincent Bund

© CLE International / SEJER, Paris, 2012
ISBN : 978-2-09-038718-6

Achevé d'imprimer en Italie par <<La Tipografica Varese S.p.A.>>
N° de éditeur : 10183087 – Dépôt légal : janvier 2012

Introduction

 ## Une méthode pour les lycéens

Écho Junior est une méthode de français langue étrangère qui s'adresse à des jeunes à partir de 15 ans. Elle est conçue à partir de supports variés qui reflètent les intérêts et les préoccupations de ce public. Elle s'appuie essentiellement sur des interactions proches de la conversation naturelle. Elle cherche aussi à concilier le dosage obligé des difficultés avec le besoin de posséder très vite les clés de la communication et de s'habituer à des environnements linguistiques riches.

 ## Une approche actionnelle

Dès la première heure de cours l'apprenant est acteur. La classe devient alors un espace social où s'échangent des informations, des expériences, des opinions et où vont se construire des projets. De ces interactions vont naître le désir de maîtriser le vocabulaire, la grammaire et la prononciation, le besoin d'acquérir des stratégies de compréhension et de production et l'envie de mieux connaître les cultures francophones.

Parallèlement, des activités de simulation permettront aux apprenants d'anticiper les situations qu'ils auront à vivre dans des environnements francophones.

 ## Une progression par unités d'adaptation

Écho Junior se présente comme une succession d'unités représentant chacune entre 30 à 40 heures d'apprentissage. Une unité comporte quatre leçons.

Chaque unité vise l'adaptation à un contexte et aux situations liées à ce contexte. Par exemple, à la fin de l'unité 1 « J'apprends avec les autres», l'adaptation consiste à mettre les apprenants à l'aise dans une classe où on ne parle que français et où les relations sont solidaires, détendues, dynamiques. Dans l'unité 2 « Je me débrouille», les étudiants apprendront à interargir en français lors d'un bref séjour dans un pays francophone.

Écho Junior compte 3 unités pour chacun des niveaux A1 et A2 et 4 unités pour le niveau B1.

 ## La possibilité de travailler seul

Le cahier d'exercices donne à l'apprenant la possibilité de prolonger à la maison le travail effectué en classe. Il permet de retrouver le vocabulaire nouveau (à l'écrit et à l'oral), d'en noter le sens, de vérifier la compréhension d'un texte ou d'un document sonore étudié en classe et d'automatiser les formes linguistiques. Ce cahier s'utilise en relation avec les autres outils de référence, nombreux dans les leçons et dans les pages finales du livre (tableaux de grammaire, de vocabulaire, de conjugaison).

 ## La référence au Cadre européen commun pour les langues

Par ses objectifs et sa méthodologie **Écho Junior** s'inscrit pleinement dans le Cadre européen commun de référence pour les langues.

Chaque niveau prépare à un niveau du CECR et du DELF (Diplôme d'études en langue française).

 ## Auto-évaluation et évaluation institutionnelle

- **Un fichier d'évaluation** permet le contrôle des acquisitions à la fin de chaque leçon.
- Dans **le portfolio** l'étudiant notera les différents moments de son apprentissage ainsi que ses progrès en matière de savoir et de savoir-faire.

Organisation
de la méthode

 Une leçon zéro

 Trois unités

 Dans chaque unité :

- **Une double-page de présentation des objectifs langagiers**
- **Quatre leçons de quatre doubles pages**
- **Un entraînement**

 Un aide-mémoire de grammaire et de conjugaison à la fin de l'ouvrage

Organisation d'une leçon

Deux pages « Forum »

Un ou plusieurs documents permettent aux lycéens d'échanger des informations ou de s'exprimer dans le cadre d'une réalisation commune. Ces prises de parole permettent d'introduire les éléments lexicaux et grammaticaux.

Deux pages « Outils »

Pour chaque point de langue important ces pages proposent un parcours qui va de l'observation à la systématisation. Les particularités orales des faits grammaticaux sont travaillées Dans la partie « À l'écoute de la grammaire ».

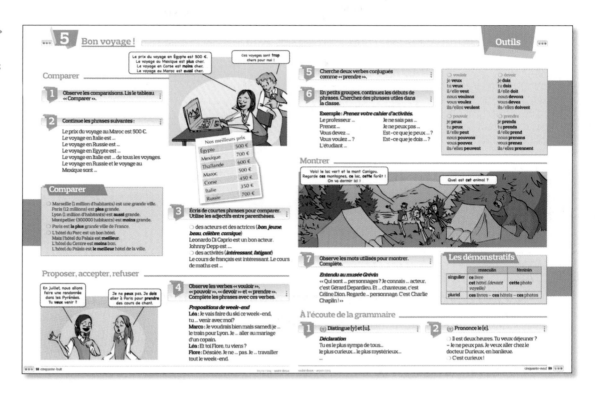

Deux pages « Échanges »

L'étudiant retrouvera les éléments linguistiques étudiés précédemment dans les scènes dialoguées qui s'enchaînent pour raconter une histoire. À chaque unité correspond une histoire qui est représentative de l'objectif général de l'unité. Par exemple, l'unité 1, « J'apprends avec les autres » met en scène un groupe de jeunes gens qui font connaissance, travaillent et se détendent ensemble dans le cadre d'un stage international de comédie musicale. Chaque scène illustre une situation concrète de communication. Elle donne lieu à des activités d'écoute et de simulation. Cette double-page comporte aussi des exercices de prononciation.

Présentation

Deux pages « Découvertes »

Différents types de documents écrits et oraux sont proposés aux élèves afin qu'ils acquièrent des stratégies de compréhension. Les documents présentent des sujets de civilisation qui permettent d'introduire une dimension interculturelle et d'amener les élèves à s'exprimer à l'oral et à l'écrit.

À la fin de chaque unité

Deux pages d'entraînement permettent de vérifier les capacités de l'étudiant à transposer les savoir-faire qu'il a acquis.

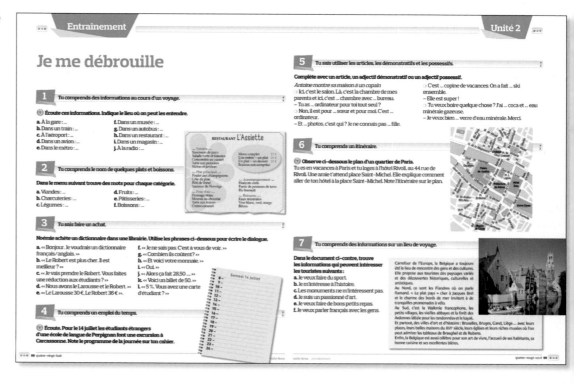

Unité 1 J'apprends avec les autres

Objectifs actionnels :
- S'intégrer à un groupe classe en français
- Échanger les mots de tous les jours
- Parler de soi
- Participer à son apprentissage

	1 **TU COMPRENDS ?**	**2** **AU TRAVAIL !**	**3** **QU'EST-CE QU'ON FAIT ?**	**4** **RACONTE-MOI**
Grammaire	• Conjugaison des verbes (présentation) • Interrogation (intonation) • Négation simple	• Articles définis et indéfinis • Accord des noms et des adjectifs • Verbes en –er	• Conjugaison (faire – aller – venir) • Pronoms « moi- toi-lui – elle » • Futur proche	• Passé composé • La date et l'heure
Vocabulaire	• L'identité • Les lieux de la ville	• Personnes et objets caractéristiques d'un pays	• Les loisirs (sports, spectacles, activités)	• Les moments de la journée, de l'année • Événements liés au temps
Situations orales	• Se présenter à un groupe • Aborder quelqu'un • Saluer – prendre congé • Dire si on comprend • Remercier	• Identifier une personne ou un objet • Demander quelque chose • Exprimer ses goûts	• Parler de ses activités de loisirs • Proposer – accepter ou refuser une proposition	• Demander et dire ce qu'on a fait • Demander / donner des précisions sur un emploi du temps • Féliciter
Prononciation	• Repérage des sons difficiles • [ʒ] – [y] • Intonation de la question	• Marques orales du féminin et du pluriel • Différenciation « je » – « j'ai » – « j'aime » • Rythmes et enchaînements	• [v] – [f] • Rythme du groupe « verbe + verbe » et de la phrase négative	• Différenciation présent / passé • Enchaînement avec [t] et [n]
Compréhension des textes	• Écrits de la rue	• Test de connaissance	• Publicité de club de loisirs • Publicité touristique • Messages d'invitation	• Jeu du musée Grévin • Affiches d'horaires et emploi du temps
Écriture	• Correspondance son / graphie	• Création d'un questionnaire	• Présentation d'un club de loisirs • Rédaction d'un message d'invitation	• Rédaction de fragments de biographies
Civilisation	• L'espace francophone	• La population française	• Repérage de quelques lieux de loisirs en France	• Rythmes de l'année et rythmes de vie en France • Personnalités du monde francophone

Unité 2 Je me débrouille

Objectifs actionnels :
- Se débrouiller lors d'un bref séjour dans un pays francophone
- Voyager
- Se nourrir
- Faire des achats
- S'orienter

	5 **BON VOYAGE !**	**6** **BON APPÉTIT !**	**7** **QUELLE JOURNÉE !**	**8** **ON EST BIEN ICI**
Grammaire	• Comparaison simple • Adjectifs démonstratifs • Conjugaison des verbes « pouvoir – vouloir – devoir »	• Articles partitifs • Adjectifs possessifs • Forme possessive : « à + pronom »	• La conjugaison pronominale • L'impératif	• Prépositions et adverbes de lieu
Vocabulaire	• Les voyages • Les transports	• La nourriture • Les repas	• Les activités quotidiennes • Les achats, l'argent	• Le logement • La localisation et l'orientation • Le temps qu'il fait
Situations orales	• Choisir une destination de voyage • Faire une proposition / accepter / refuser • Situations pratiques relatives au voyage	• Situations pratiques au restaurant • Conflits d'appartenance et de possession • Expression de la ressemblance et de la différence	• Raconter sa journée • Acheter quelque chose • Donner des instructions, des conseils	• Parler d'un cadre de vie (lieu – climat – etc.) • Décrire son logement • S'orienter • Exprimer un besoin
Prononciation	• Différenciation [y] – [u] • Différenciation [b] – [v] – [f]	• Sons [ɔ] [ɔ̃] • Rythme de la phrase négative (pas de ...) • Rythme et enchaînement avec [ə]	• Rythme de la conjugaison pronominale • Intonation de l'impératif	• Différenciation [s] – [z] [a] – [ɑ̃] • Prononciation de [ʒ]
Compréhension des textes	• Publicité d'une agence de voyage • Texte informatif sur les voyages	• Menus de restaurants	• Extrait d'un magazine : les activités gratuites en France	• Annonces immobilières • Cartes postales de vacances
Écriture	• Projet de voyage	• Expression des goûts en matière de nourriture	• Rédaction d'un bref document d'information	• Rédaction d'une carte postale ou d'un message de vacances
Civilisation	• Les transports en France	• Les habitudes alimentaires des Français	• Comportements en matière d'achats et d'argent	• Le climat en France • Le Québec et l'île de la Réunion

Unité 3 Je me fais des amis

Objectifs actionnels :
- Établir des contacts amicaux
- S'informer sur les personnes et les événements
- Sympathiser avec les autres
- Faire face à des situations difficiles

	9 **SOUVENEZ-VOUS**	**10** **ON S'APPELLE**	**11** **J'AI UN PROBLÈME**	**12** **PARLE-MOI DE TOI**
Grammaire	• L'imparfait • Emplois du passé composé et de l'imparfait • Expression de la durée	• Les pronoms compléments directs • L'interrogation • L'expression de la fréquence et de la répétition	• Les pronoms compléments indirects • Le discours rapporté	• La place de l'adjectif • La proposition relative finale avec « qui » • C'est / il est • Impératif des verbes avec pronoms
Vocabulaire	• Les moments de la vie • La famille	• Les moyens de communication (courrier, téléphone, Internet)	• La santé et la maladie • Les études	• La description physique et psychologique des personnes • Les vêtements • Les couleurs
Situations orales	• Raconter brièvement un souvenir • Présenter sa famille • Demander / donner des informations sur la biographie d'une personne	• Parler des moyens de communication • Aborder quelqu'un • Faire valoir son droit • Exprimer une opinion	• Exposer un problème personnel – Donner des conseils • Parler des études	• Se présenter / présenter quelqu'un • Demander / donner une explication
Prononciation	• Le [j] • Différenciation [ɔ] – [ɔ̃] et [ɔ̃] – [ã]	• Rythme des constructions avec pronoms • Différenciation [ʃ] – [ʒ] et [s] – [z]	• Son [y] • Rythme des constructions du discours rapporté • Son [p] et [b]	• Différenciation masculin / féminin • Différenciation [ø] et [œ]
Compréhension des textes	• Album de souvenirs • Pages cinéma d'un magazine	• Messages de remerciements, de félicitations et d'excuses	• Forum Internet • Emploi du temps	• Extraits de magazine : description de comportements
Écriture	• Rédactions de commentaires de photos (album souvenirs)	• Rédaction de messages de remerciements, de félicitations et d'excuses	• Exposé d'un problème personnel • Rédaction de propositions pour améliorer la vie au lycée	• Se présenter
Civilisation	• Le couple et la famille	• Conseils de savoir-vivre en France	• Les études en France	• Styles comportementaux et vestimentaires chez les jeunes

Comment tu t'appelles ?

1 | Lille, le 2 juillet, 9h30

Le professeur : Bonjour.

Lola : Bonjour Monsieur.

Le professeur : Comment tu t'appelles ?

Lola : PEREZ, Lola Perez.

B

3 | Lille, le 2 juillet, 10h15

Madame Legrand : Je m'appelle Lise.

Lola : Comment ?

Madame Legrand : Lise, L–I–S–E.

A

2 | Lille, le 2 juillet, 10h.

Le professeur : Madame Legrand ?

Madame Legrand : Oui !

Le professeur : Voici Lola Perez.

Madame Legrand : Bonjour Lola.

Lola : Bonjour Madame.

C

---

1 Écoute, le professeur se présente :

« Je m'appelle... »

2 🎧 Associe les dialogues 1, 2 et 3 et les dessins A, B et C.

3 🎧 Écoute et répète l'alphabet.

4 Présente-toi et épèle ton nom.

S'APPELER

○ Je m'appelle...
○ Tu t'appelles... (forme familière)
○ Vous vous appelez...
○ Comment vous vous appelez ?
○ Je m'appelle Lise Legrand.

Tu parles français ?

Lille

M. Legrand : Bonjour, vous parlez français ?

Lola : Un peu. Je parle aussi espagnol et anglais.

Julien : Moi, je parle anglais.

 1 Associe les mots ci-contre et les langues. ⋮

- ○ allemand
- ○ anglais
- ○ chinois
- ○ espagnol
- ○ français
- ○ italien
- ○ polonais
- ○ portugais
- ○ russe

École Internationale de langues

Bienvenue !

Welcome !

Willkommen !

Benvenuto !

Bienvenido !

Bem-vindo !

Witajcie !

欢迎

добро пожаловать

 2 Lis la liste des participants. Imagine quelle(s) langue(s) ils parlent ? ⋮

Exemple : Il parle ...... Elle parle ......

- ● allemand
- ● arabe
- ● espagnol
- ● italien
- ● russe
- ● anglais
- ● chinois
- ● français
- ● portugais
- ● turc

 3 Quelle(s) langue(s) parles-tu ? ⋮

Liste des participants

EL MESSAOUDI Hakima
GRÜNBERG Dieter
KANDISKI Igor
LEGRAND Vincent
MARTINI Luigi

MENDOZA Adriano
PEREZ Lola
UZUMER Azra
WANG Liu
WILSON Diana

PARLER

- ○ Je parle français.
- ○ Tu parles espagnol.
- ○ Vous parlez chinois.
- ○ Il parle italien.
- ○ Elle parle portugais.

Vous êtes Français ?

LES NATIONALITÉS

Il est...	Elle est....	Il est...	Elle est....
français	française	mexicain	mexicaine
chinois	chinoise	américain	américaine
canadien	canadienne	brésilien	brésilienne
allemand	allemande	belge	belge

ÉCOLE INTERNATIONALE DE LANGUES

Voyage :

*l'Europe francophone
Bruxelles, Arras,
Strasbourg, Genève*

2 Observe le tableau sur les nationalités. Complète le tableau qui suit avec le féminin ou le masculin.

Il est...	Elle est...	Il est...	Elle est...
anglais		indonésien	
	italienne		russe
espagnol		marocain	
	suédoise	grec	grecque

Bruxelles, le 5 juillet, 16h.

La serveuse : Et voici un coca, un Perrier et un thé glacé.

Lola : Merci.

La serveuse : Vous êtes français ?

Luigi : Non, je suis italien.

Lola : Et moi espagnole.

La serveuse : Vous parlez bien français !

3 Complète avec *être*, *s'appeler*, *parler*.

Au Parlement européen de Bruxelles
- Bonjour, je ...... Eva Conti. Je ...... députée européenne.
- Vous ...... italienne ?
- Non, je ...... allemande.
- Vous ...... français ? Moi, je ...... polonais.
- Ah, je ...... un peu polonais.

1 Écoute le dialogue. Quelle est leur nationalité ?

- Luigi : ... ● Lola : ... ● La serveuse : ...

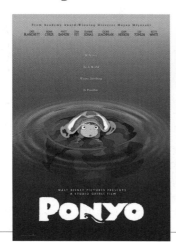

PONYO

4 Quelle est leur nationalité ?

Il est ......   Elle est ......
- Lady Gaga   ● Ronaldinho
- Raphaël Nadal   ● Shakira
- Marion Cotillard   ● Miyazaki

ÊTRE

○ Je suis française.	○ Il est anglais.
○ Tu es portugais.	○ Elle est japonaise
○ Vous êtes chinois.	

Tu habites où ?

Bruxelles

BONNES ADRESSES

➤ café « Le Cheese Cake »
Place de Brouckere
➤ cinéma Arenberg
Galerie de la Reine, 26
➤ jeux vidéo « Smartoys »
Rue Borgual, 7
➤ friterie « Chez Clémentine »
Place Saint Job
➤ vêtements « Génération »
Rue de l'Église, 89

Luigi : Et... tu habites où en Espagne ?
Lola : À Bilbao.
Luigi : C'est où ?
Lola : Au Pays Basque.

ville
région
au → Portugal
aux → pluriel

4 Lis les bonnes adresses de Bruxelles. Donne les bonnes adresses de ta ville.

1 Écoute le dialogue.

2 Lis. Attention aux enchaînements !

un restaurant – un café – trois musées
un enfant – un hôtel – un Anglais
une avenue – une adresse – une Anglaise
trois enfants – six Américains – dix Européens
quatre Italiens – cinq Irlandais – sept
Espagnols – neuf Allemands

5 Dialogue. Parle de ta ville.

Tu habites où ? ....
Où est le restaurant .... ?

LES NOMBRES

1 – un (une)	**2** – deux
3 – trois	**4** – quatre
5 – cinq	**6** – six
7 – sept	**8** – huit
9 – neuf	**10** – dix

3 Complète avec *à, au, en.*

● Où habite Adriano ? *au* Brésil, *en* Argentine ?
– Il habite *à* São Paulo, *au* Brésil.
● Où est le musée du Louvre ?
– Il est *en* France, *à* Paris.
● Où est l'Empire State Building ?
– Il est *à New York*
● Où est le Colisée?
– *Il est à Rome*

Continue. Pose des questions à ton (ta) voisin(e).

L'ADRESSE

Il habite...   Elle habite...
Il est ...   Elle est...

... à Paris (à Rome, à Nice...)
... en France, en Italie, en Provence
(noms de pays ou de régions féminins)
... au Portugal, au Danemark
(noms masculins)
... aux États-Unis (noms pluriels)

0

Qui est-ce ?

Arras, le 6 juillet, 13h30.

Luigi : Regarde, c'est Win Butler !

Lola : Win Butler ? Qui est-ce ?

Luigi : Un chanteur. C'est le chanteur du groupe Arcade Fire.

Lola : C'est un groupe anglais ?

Luigi : Non, c'est un groupe canadien. Il est au programme du Festival.

VILLE D'ARRAS

MAIN SQUARE FESTIVAL

6, 7, 8 juillet 2012

☒ Arcade Fire
☒ Cold Play
☒ Linkin Park
☒ Martin Solveig

1 🎧 Écoute le dialogue. ⋮

2 Complète avec *un, une, des* ou *le, la, l', les.* ⋮

- Fergie, qui est-ce ?
– C'est un chanteuse. C'est la chanteuse du groupe Black Eyed Peas.
- Qui est Albert II ?
– C'est ..... prince de Monaco.
- Comment s'appelle ..... serveuse du restaurant ?
– Elle s'appelle Marie.

3 Associe les personnes et les professions. Présente-les. ⋮

- **Il s'appelle Barak Obama.** Il est américain. C'est un ....
- Elle s'appelle .... Elle est .... C'est une ....

Barak Obama	artiste
Albert Einstein	comédien
Beethoven	comédienne
Antonio Banderas	chanteur
Pablo Picasso	chanteuse
Michael Jackson	femme politique
Angela Merkel	homme politique
Penelope Cruz	musicien
Madonna	scientifique

IDENTIFIER LES PERSONNES

○ Qui est-ce ?
– C'est Diana.
– C'est une étudiante. C'est une Anglaise.
– C'est une étudiante anglaise.
○ un étudiant – une étudiante
des étudiants – des étudiantes
un Allemand – une Allemande
des Allemands – des Allemandes
→ **Pour préciser**
le professeur de la classe de français
les professeurs de l'école
la serveuse du restaurant
les serveuses du restaurant
→ **Pour caractériser**
Voici Azra. Elle est turque. Elle est étudiante.
Voici Adriano. Il est portugais. Il est professeur.

Qu'est-ce que c'est ?

Strasbourg

a

b

c

❶ Strasbourg, le 10 juillet, 19h.

Lola : Voilà une belle église !

Le professeur : C'est la célèbre cathédrale de Strasbourg.

❷ Luigi : Et là, qu'est-ce que c'est ? C'est un musée ?

Le professeur : Non, c'est le Parlement européen.

❸ Le professeur : Et voici le quartier de la petite France ! Regardez les belles maisons !

---

1 🎧 **Associe les dialogues avec les photos. Observe.** ⋮

Indications imprécises	Indications précises
un palais	

---

2 **Complète avec** *un, une, des.* ⋮

.... rue – .... avenues – .... quartier
.... café – .... théâtre – .... restaurants

IDENTIFIER LES CHOSES

○ Qu'est-ce que c'est ?
– C'est un restaurant.
un restaurant – **une** rue
des restaurants – **des** rues

→ **Pour préciser**
C'est **le** parlement européen.
C'est **la** cathédrale de Strasbourg.
C'est **l'**avenue d'Alsace.
Ce sont **les** maisons de la Petite France.

---

3 **Complète avec** *le, la, l', les.* ⋮

.... parlement européen de Strasbourg.
.... hôtel Danieli à Venise.
.... rues du quartier Montmartre.
.... musée du Louvre à Paris.
.... restaurant français de New York.

---

4 **Complète avec** *un, une, des* **ou** *le, la, l', les.* ⋮

Vue de ...... tour Eiffel à Paris
● Ici, c'est .... Quartier Montmartre.
– Et là, qu'est-ce que c'est ?
● C'est .... Arc de Triomphe, ... monument célèbre.

---

5 **Tu comprends ces mots ? Associe les mots des deux colonnes.** ⋮

Exemple : *C'est une boutique.*
C'est la boutique Chanel.

Un film	○	○ H&M
Un journal	○	○ Le Louvre
Un musée	○	○ El País
Une avenue	○	○ Tian'anmen
Une boutique	○	○ Les Champs Élysées
Une place	○	○ Avatar

Genève

Vos papiers,
s'il vous plaît ?

Frontière franco–suisse, le 15 juillet, 8h15.

Le policier : Bonjour, contrôle des papiers, s'il vous plaît. Vous êtes chinoise ?

Liu : Oui. J'habite à Pékin.

Le policier : Vous êtes avec le groupe ?

Liu : Oui.

PASSEPORT
PASSPORT

RÉPUBLIQUE FRANÇAISE

1  Écoute le dialogue.

FICHE DE RENSEIGNEMENTS

Nom : . . . .

Nom de jeune fille : . . . .

Prénoms : . . . .

Nationalité : . . . .

Adresse : . . . .

. . . .

N° de téléphone : . . . .

Adresse électronique : . . . .

2 Lis le passeport. Complète la fiche de renseignements pour toi, sur ton cahier.

3 Associe les mots de la fiche de renseignement avec les questions suivantes :

a. Vous êtes français ?
b. Où vous habitez ?
c. Comment vous vous appelez ?
d. Votre courriel, s'il vous plaît.

Cartes postales et messages

Salut Julien,

Je suis à Genève.

J'aime les montagnes de Suisse.
Le pays est très beau !

Les amis de l'école sont sympas.

Le voyage est super.

Bises

Lola

meetic

Palash18
18 ans
⬭ En ligne
Delhi - Inde

Bonjour,
Je m'appelle Palash. Je suis indien. Je suis élève au lycée français de Delhi. Je parle hindi, anglais et français. J'aime la musique électro, le cinéma et le tennis. Je cherche des amis et des amies.
palash.bh@gmail.in. Cherche contact, 32 à 40 ans.

Le blog de Liu

Vous aimez la montagne, les randonnées et le canyonning ...
Alors, regardez ces photos de Suisse !

1 Lis les documents ci-dessus et réponds.

a. Qui écrit ?
- Un blog : ....
- Une carte postale : ....
- Un message sur un site Internet : ....

b. Qui aime ?
- Le sport : ....
- La photo : ....
- La montagne : ....

c. Qui parle trois langues ? : ....

d. Qui écrit à un ami ? : ....

2 Imite le message d'Igor. Présente-toi sur un site de rencontre.

AIMER	
J'aime...	Genève.
Tu aimes...	
Vous aimez...	la Suisse.
Il aime...	
Elle aime...	la montagne.

... UNITÉ 1

J'apprends avec les autres

Dans cette unité, je vais apprendre à...

- échanger avec les autres les mots de tous les jours.
- participer à mon apprentissage.
- parler de moi, de mes activités et de mes goûts, dire ce que j'ai fait.

Leçon 1 Tu comprends ?

- se présenter
- dire si on comprend
- saluer
- demander la permission
- s'excuser

« Je m'appelle Marie. »

« Je ne comprends pas. »

Leçon 2   Au travail !

- identifier une personne ou un objet
- demander quelque chose
- comprendre des consignes

« Vous pouvez répéter ? »

« Je voudrais un jus d'orange, s'il vous plaît. »

Leçon 3   Qu'est-ce qu'on fait ?

- parler de ses activités de loisirs
- parler de ses goûts
- faire un projet
- proposer

« Demain matin, je fais un tennis. »

« Tu as envie d'aller au cinéma ? »

Leçon 4   Raconte-moi

- dire ou demander l'heure
- donner des précisions sur un emploi du temps
- féliciter

« Quelle heure est-il ? »

« Le magasin ouvre à 9 h. »

Le monde
en français

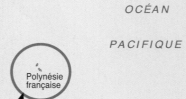

Activités

1. Écoute. Ils se présentent. Complète le tableau dans ton cahier.

	A	B	C
Il s'appelle / elle s'appelle …			
Il (elle) habite …			
Il (elle) est …			
Il (elle) aime …			

2. Écoute. Voici des pays où le français est très utilisé. Trouve ces pays sur la carte. Classe–les.

le	la	l'	les
le Sénégal	la Suisse	l'île Maurice	les Antilles

B

Pays où le français est langue maternelle

Pays où le français est très utilisé

Autres pays

3. Écoute. Tu comprends? Tu connais ?
Associe avec la photo.

1. Le musée du Louvre
2. Le parc de Yellowstone
3. Les pyramides d'Égypte
4. La forêt d'Amazonie
5. Les tours de Shangaï
6. L'île de Tahiti

4. Pose une question à la classe.
Exemple : « La cathédrale de Westminster, vous connaissez ? »

TU COMPRENDS ? TU CONNAIS ?

○ Vous comprenez ? (Tu comprends ?)
  – Oui, je comprends.
  – Non, je ne comprends pas.
○ Vous connaissez la France ?
  (Tu connais la France ?)
  – Oui, je connais.
  – Non, je ne connais pas.

Conjuguer les verbes

- Vous parlez français ?
- Oui, je parle français.
- Vous parlez français ?
- Oui, nous parlons français.
- Ils parlent français ! Et toi, tu parles français ?
- Non. Je ne parle pas français.
- Et lui, et elle ?
- Il parle français. Elle parle français.

FESTIVAL DE CANNES

1 Observe les dessins et les verbes. Montre qui parle (« je »), à qui (« tu », etc.).

2 Écoute. Note l'utilisation de « tu » et de « vous ».

a

b

c

d

3 Observe les verbes du tableau ci-dessous. Note les prononciations différentes.

Parler → je parle, tu parles, il parle… [ə]
nous parlons… [ɔ̃]
vous parlez… [e]

4 Conjugue les verbes.

– Vous (***être***) française ?
– Non, je (***être***) espagnole et Monica (***être***) italienne. Mais nous (***comprendre***) le français. Et toi, tu (***être***) français ?
– Oui, j' (***habiter***) à Marseille.
– Ah, nous (***connaître***) Marseille.

Les verbes

○ Verbes en –er

parler	habiter
je parl**e** français	j'habit**e** en France
tu parl**es** italien	tu habit**es** au Japon
il (elle) parl**e**…	il (elle) habit**e** à New York
nous parl**ons**…	nous habit**ons**…
vous parl**ez**…	vous habit**ez**…
ils (elles) parl**ent**…	ils (elles) habit**ent**…

○ Les autres verbes

être	connaître
je **suis** français	je **connais** la France
tu **es** française	tu **connais** le Maroc
il (elle) **est**…	il (elle) **connaît**…
nous **sommes**…	nous **connaissons**…
vous **êtes**…	vous **connaissez**…
ils (elles) **sont**…	ils (elles) **connaissent**…

comprendre
je **comprends** l'anglais – tu **comprends**…
nous **comprenons**… – ils (elles) **comprennent**…

Interroger – Répondre

Vous êtes Maria Monti ?

Non, je ne suis pas Maria Monti.
Je ne parle pas italien.
Je ne connais pas Maria Monti.
Je n'habite pas à Rome.
Je suis la secrétaire du festival.

L'interrogation et la négation

○ Elle parle français ?
– Non, elle **ne** parle **pas** français.

○ Elle est espagnole ?
– Non, elle **n'**est **pas** espagnole. (**n'** devant une voyelle)

 2 Réponds.

○ Vous êtes français / française ?
○ Vous êtes professeur ?
○ Vous habitez à Paris ?
○ Vous comprenez le mot « bonjour » ?
○ Vous parlez bien français ?

 1 Observe et complète sur ton cahier.

○ Elle ...... s'appelle ...... Maria Monti.
○ Elle ...... parle ...... italien.
○ Elle ...... connaît ...... Maria Monti.
○ Elle ...... habite ...... Rome.
○ Elle ...... est ...... secrétaire.
○ Elle ...... est ...... française.

3 Par deux, écrivez une interview imaginaire.

Exemple :
○ Comment vous vous appelez ?
– Bond, James Bond.

○ Vous êtes américain ?
– Non, ...

 À l'écoute de la grammaire

 1 Prononce « je » [ʒə]. Répète.

Prénoms
Julie, tu connais ?
Non, je connais Jeanne, Justine, Joséphine, Géraldine.

 2 Prononce « tu » [ty].

Salut ... D'où es-tu ? Du Pérou ..., de Paris ... ou d'Andalousie ?
Tu habites où ? Rue du musée ou avenue de Nice ?

 3 Interrogation ou affirmation. Recopie le tableau dans ton cahier et coche la bonne case.

	1	2	3	4	5	6
interrogation						
affirmation						

Un été à Paris

Stage international

MUSIQUE ET DANSE

Préparation de la comédie musicale
Notre-Dame de Paris
De Richard Cocciante et Luc Plamandon

Du 2 au 31 juillet
à la Cité internationale
de Paris

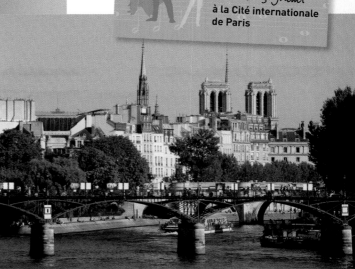

1 Paris, le 2 juillet, à la Cité universitaire internationale de Paris. ⋮

Mélissa : Le stage de comédie musicale, s'il vous plaît ?
Lucas : C'est ici. Tu es française ?
Mélissa : Oui, antillaise.
Lucas : Super, les Antilles !
Mélissa : Tu connais ?
Lucas : Je connais la chanson ! « Belle île en mer, Marie-Galante... »
Mélissa : Pas mal !
Lucas : Lucas, de Toulouse. Bonjour !
Mélissa : Moi, c'est Mélissa, et voici Florent, un copain.
Lucas : Super...

Activités

1. Écoute la scène 1 et réponds.
a. Lucas est français ? Et Mélissa ?
b. Lucas habite Paris ?
c. Mélissa connaît Florent ?
d. Où sont Mélissa, Florent et Lucas ?

2. Observe les documents de la scène 2. Imagine les questions du secrétaire.

3. Écoute la scène 3. Présente les personnages de l'histoire.

PETITS MOTS DE POLITESSE

- ○ Bonjour – Bonsoir
  Bonjour Lucas – Bonjour Madame – Bonjour Monsieur
- ○ Au revoir – À bientôt
- ○ Pardon – Excusez-moi – Je suis désolé(e)
- ○ S'il vous plaît – Merci

2 À l'accueil du stage international.

Le secrétaire : Bonjour. Vous vous appelez ?
......

FICHE D'INSCRIPTION
Nom : LAFORÊT
Prénom : Noémie
Adresse : 24 boulevard Champlain
LAVAL – Canada
Nationalité : canadienne
Profession : étudiante

FICHE D' INSCRIPTION
Nom : RIVIÈRE
Prénom : Florent
Adresse : 7 rue Victor-Hugo
FORT-DE-FRANCE
Martinique
Nationalité : française
Profession : professeur

3 Le 3 juillet, à la cafétéria.

Sarah : Bonjour ! Je suis Sarah, la professeure de chant.
Tous : ......

Transcription → p. 139

Noémie : Excusez-moi... Je peux ?
Lucas : Bien sûr !

🔊 PRONONCIATION

○ 1. Le rythme et l'accentuation
Au téléphone
Oui... Non... Bien.
Ça va... Et vous ?... Aussi...
Je comprends... Je connais... À Paris...

Le directeur... Un étudiant...
Un Italien...
Il comprend l'anglais...
Il connaît Paris...
Il parle français...

○ 2. L'enchaînement
Je m'appelle Anna.
J'habite à Paris.
Je suis italienne.
Je parle espagnol.

Voici Roberto.
Il est espagnol.
Il habite en France.
Il est étudiant.

HOTEL DU NORD

BANQUE CHAABI DU MAROC

Le monde
en français

PARKING PRIVÉ
ACCÉS BADGÉ

restaurant

Université Rennes 1
Campus Santé

E.H.E.S.P.

Université Rennes 2
Campus Villejean

CENTRE CULTUREL FRANCO-NORVEGIEN

GARAGE DU DOME

Gasoil

TAXIS

Café Breton CRÊPERIE

---

1 🎧 Écoute et retrouve les mots sur les photos. Note les sons difficiles. Observe les correspondances. Recopie le tableau dans ton cahier et note-les.

Son	Écriture
[ɛ]	crêperie – restaurant

2 Observe le tableau de la page 27. Cherche les sons difficiles à prononcer.

– un parc
......

3 🔊 Écoute la prononciation française des mots internationaux.

Restaurant International

Menu

PLATS	DESSERTS
❦ Sushis	❦ Strudels
❦ Paëlla	❦ Tiramisu
❦ Hamburger	❦ Muffins
❦ Spaghetti	❦ Cookies
❦ Kebab	
❦ Bagel	

4 Cherche l'origine de ces mots

mot allemand – anglais – arabe – espagnol – italien – japonais

5 Cherchez en groupe les mots français utilisés dans votre pays.

Les sons et les lettres

Les voyelles

En arrière de la bouche			En avant de la bouche
voyelles fermées	[u] v**ou**s ; bonj**ou**r	[y] un m**u**sée	[i] un tax**i** ; une p**y**ramide
	[o] le métr**o** ; un rest**au**rant ; b**eau**	[ø] je p**eu**x ; [ə] la crêp**e**rie	[e] un caf**é** ; **et**
	[ɔ] une éc**o**le	[œ] le profess**eu**r ; l'accu**ei**l	[ɛ] tr**è**s ; la for**ê**t ; **e**lle ; je conn**ai**s ; une adr**e**sse
voyelles ouvertes		[a] une **a**venue	
voyelles nasales	[ɔ̃] b**on**jour ; un prén**om**	[œ̃] **un** [ã] un croiss**an**t ; **en**sem**ble**	[ɛ̃] le v**in** ; dem**ain**
Les semi-voyelles	[w] au rev**oi**r	[ɥ] bonne n**ui**t	[j] canad**ie**n ; Ant**ill**es

Les consonnes

Consonnes sourdes	Consonnes sonores
[k] le **c**afé	[g] le **g**âteau
[t] un **t**axi	[d] la **d**anse
[p] **p**ardon	[b] **b**on
[ʃ] le **ch**ocolat	[ʒ] bon**j**our – un gara**g**e
[s] le **s**ecrétaire le **c**entre une adre**ss**e	[z] dé**s**olé
[f] le **f**estival	[v] l'a**v**enue

Autres consonnes	
[l]	une **l**angue elle s'appe**ll**e
[ʀ]	une **r**ue
[m]	**m**adame – co**mm**ent
[n]	l'u**n**iversité – je co**nn**ais
[ɲ]	la monta**gn**e

→ Projet
Visite des sites internet en français.

test

Est-ce que vous connaissez la France et les pays francophones ?

1 **Quelle est la capitale...**

a) de la France ?
- Bruxelles
- Marseille

b) de la Belgique
- Lille
- Paris

.../2

2 **Quels pays ont une frontière avec la France ?**

- le Brésil
- l'Allemagne
- la Grèce
- l'Espagne
- la Chine
- la Suisse

.../3

3 **Complétez avec 1, 3 ou 10.**

a) À Paris, il y a .... millions d'habitants.
b) À Montréal, il y a .... millions d'habitants.
c) À Marseille, il y a .... millions d'habitants.

.../3

4 **Où est ...**

a) le drapeau français ?
b) le drapeau suisse ?
c) le drapeau belge ?
d) le drapeau canadien ?

.../4

1

2

3

4

Titre encadré

1. Fais le test avec l'aide du professeur.
Compte tes points : .... / 25
Note les mots utilisés pour poser des questions.

2. En petits groupes écrivez cinq questions.
Posez ces questions aux autres groupes.

5 Les Françaises et les Français célèbres. Qui est-ce ?

David Guetta ● ● un acteur
Marie Curie ● ● un D.J.
Victor Hugo ● ● une scientifique
Louis de Funès ● ● un écrivain

.../4⊕

7 Associe.

Renault ● ● des avions
L'Oréal ● ● des montres
Airbus ● ● des voitures
Rollex ● ● des stylos
Bic ● ● des cosmétiques

.../5⊕

6 Qu'est-ce que c'est ?

● la tour Montparnasse ● le stade de France
● le mont Blanc ● la cathédrale de Reims

.../4⊕

b

a

c

d

POSER DES QUESTIONS

○ **Est-ce que...**
Lima est la capitale du Pérou ?
Est-ce que Lima est la capitale
du Pérou ?

○ **Il y a**
Est-ce qu'**il y a** un musée à Cannes ?

○ **Quel – quelle – quels – quelles**
Quel est le nom du professeur ?
Quelle est la capitale de l'Australie ?
Quels sont les bons restaurants de
Cannes ?
Vous parlez **quelles** langues ?

○ **Qui**
Qui est-ce ? – C'est Lucas Marti.

○ **Que**
Qu'est-ce que c'est ? – C'est un musée.

○ **Où**
Où est le Kilimandjaro ?

Nommer – Préciser

Julien, **un** copain
Éléna, **une** copine

Qui est-ce ?

Qu'est-ce que c'est ?
Un livre ? Oh, c'est **le** nouveau
CD **de** Grégoire

Tu aimes **les** chansons
de Grégoire ?

C'est **la** petite
amie **d'**Hugo.

J'ai **des** CD **de** lui.

 1 Observe et classe les petits mots en gras.

○ Pour identifier...
○ Pour nommer une personne ou une chose
précise...

 3 Complète avec *de – du – de la – de l' – des.*

la pyramide ... Louvre
le cinéma ... rue Champollion
un professeur ... université de Mexico
le nom ... étudiant
un tableau ... Monet

 2 Complète avec *un – une – des – le – la – l' – les.*

○ Aix-en-Provence est ... belle ville
avec ... beau musée et ... grande
université.
C'est ... ville de Paul Cézanne,
... célèbre peintre.
○ J'ai ... amis à Aix-en-Provence. Je
connais ... fille du lycée et ... fils du
directeur de l'hôtel Ibis.

Les articles

	Masculin singulier	Féminin singulier	Masculin ou féminin pluriel
○ **Pour identifier** → **l'article indéfini**	**UN** un livre	**UNE** une voiture	**DES** des livres, des voitures
○ **Pour préciser** → **l'article défini**	**LE – L'** le livre l'hôtel	**LA – L'** La voiture L'université	**LES** Les livres Les hôtels

○ Pour donner un complément d'information
→ **de** [+ nom propre] une rue **de** Paris
→ **du** [de + le = du] les tableaux **du** musée
→ **de la** le nom **de la** chanteuse
→ **de l'** [devant une voyelle] l'adresse **de** l'hôtel
→ **des** [de + les = des] le nom **des** étudiants

Accorder les noms et les adjectifs

 4 🔊 Dans les exemples du tableau écoute et observe les différences entre :

– le masculin et le féminin } à l'écrit
– le singulier et le pluriel } et à l'oral

 5 Complète avec le masculin et le féminin.

une Brésilienne – un ...   un acteur – une ...
un étudiant – une ...   une artiste – un ...

 6 Accorde le groupe du nom.

Il aime...   les (bon) (restaurant),   *bons restaurants*
les (grand) (voiture),   *grandes voitures*
les (femme) (beau et célèbre)   *femmes belles*
les (hôtel) (international)   *hôtels beaux*

Conjuguer les verbes

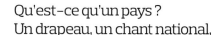 **7** Pour apprendre les conjugaisons imagine de petits dialogues avec ton voisin ou ta voisine.

Utilise : aimer (le cinéma, les chansons françaises), connaître (des pays étrangers), avoir (un dictionnaire, un iPhone, une moto...), apprendre (l'anglais, le français), etc.

○ Tu aimes le cinéma ?
– Oui, j'aime le cinéma.
○ Et elle ?
– Elle aime les films français.
○ Vous aimez les films français ?
– Nous aimons les films américains.
○ Ils aiment les films américains !

Les noms et les adjectifs

○ **Masculin et féminin des noms de personne**

un ami   une amie
un secrétaire   une secrétaire
un Anglais   une Anglaise
un Italien   une Italienne
un chanteur   une chanteuse
un directeur   une directrice

○ **Masculin et féminin des adjectifs**

un grand parc – une grande ville
un stage international – la cité internationale
un chanteur célèbre – une chanteuse célèbre
un beau tableau – une belle photo

○ **Pluriel des noms et des adjectifs**

un homme célèbre – des hommes célèbres
un artiste international – des artistes internationaux
→ *Quand l'adjectif pluriel est devant le nom :*
un beau tableau – **de** beaux tableaux
un bon journal – **de** bons journaux

Les verbes

○ **Les verbes en –er**
regarder, **écouter**, **aimer** → même conjugaison que le verbe **parler** (voir page 135)

○ **Les autres verbes**
avoir
j'**ai** une grande voiture.   nous **avons**...
tu **as**...   vous **avez**...
il/elle/on **a**...   ils (elles) **ont**...

lire
je **lis**, tu **lis**, il/elle/on **lit**, nous **lisons**, vous **lisez**, ils/elles **lisent**

écrire
j'**écris**, tu **écris**, il/elle/on **écrit**, nous **écrivons**, vous **écrivez**, ils/elles **écrivent**

À l'écoute de la grammaire

 1 🔊 Différencie « un » [œ̃] et « une » [yn].

Qu'est-ce qu'un pays ?
Un drapeau, un chant national,
Une capitale, un musée,
Une chanteuse célèbre, une équipe de football,
Un artiste international, un grand homme politique,
Et puis aussi des gens, ensemble, avec une histoire.

 2 🔊 Dans ton cahier, note si le mot est masculin (M) ou féminin (F).

1. ... – 2. ... – 3. ... – 4. ... – 5. ... – 6. ... –
7. ... – 8. ... – 9. ... – 10. ...

 3 🔊 Dans ton cahier, note si le mot est singulier (S) ou pluriel (P).

1. ... – 2. ... – 3. ... – 4. ... – 5. ... – 6. ... –
7. ... – 8. ... – 9. ... – 10. ...

Un été à Paris

1 Le 4 juillet. Les stagiaires travaillent avec le professeur de danse. ⋮

Le professeur : On arrête ! Ça ne va pas !
Tous : Qui ?
Le professeur : Les garçons.
Vous n'avez pas le rythme.
Lucas : ...

Transcription ➜ p.139

2 Après le travail. ⋮

Lucas : (il chante)
« À Paris comme à Bombay
Je ne suis pas un étranger
J'habite où on m'aime
En Chine, en Bohème »
Mélissa : Pas mal !
Lucas : Tu aimes ?
Mélissa : J'aime beaucoup. Qu'est-ce que c'est ?
Lucas : Une chanson de Lucas Marti.
Mélissa : Mais, Lucas Marti, c'est toi ! Tu écris des chansons ?
Lucas : Juste la musique.
Mélissa : Moi, j'écris des textes de chansons.
Lucas : Je voudrais bien lire tes textes.
Mélissa : Et moi, je voudrais bien écouter tes musiques.

Activités

🎧 **1.** Écoute la scène 1. Complète le dialogue. Note les ordres du professeur.
On arrête ! ...

🎧 **2.** Écoute la scène 2. Dis si les phrases suivantes sont vraies ou fausses.
a. Lucas aime chanter.

b. Melissa n'écoute pas Lucas.
c. Melissa aime les chansons de Lucas.
d. Lucas n'écrit pas des textes de chanson.

🎧 **3.** Écoute la scène 3. Complète l'histoire.
Melissa et Lucas sont ... .
Ils sont avec ... .

Sur le boulevard Melissa voit ... .
Il est avec ... .

4. Par deux, imaginez le dialogue.
Tu es dans la rue avec une amie.
Il dit bonjour à un garçon ou à une fille que tu ne connais pas.

3 Le 8 juillet à la terrasse d'un café. ⋮

Mélissa : Je voudrais un coca, s'il vous plaît.
Lucas : Et moi, un jus d'orange.
La serveuse : Très bien.
Mélissa : Regarde là-bas ! C'est Florent.
Il est avec Noémie !
Lucas : Ah, Ah…

Florent

Salut Florent, tu es où ?

Au café.

Il y a qui ?

Esteban, Eva, Kate...

Noémie est avec vous ?

Oui.

LES DEUX MAGOTS

POUR DEMANDER

○ Je voudrais un livre sur Monet.
○ Est-ce que vous avez des livres d'art ?
○ Est-ce qu'il y a une cafétéria dans le musée ?
○ Je voudrais bien parler à Marie.

🔊 PRONONCIATION

1. Prononce avec le rythme.
Départ
●● Lucas ... Florent ... Noémie ...
   Et vous ...
●●● Écoutez ... Qu'est-ce que c'est ?
   Une voiture ? ... un taxi ?
●●●● C'est un taxi ... Un taxi bleu ...
   pour mon ami

●●●●● S'il vous plaît Monsieur, ... Place de l'Opéra ... À bientôt Lucas !

**2. Distingue « je », « j'ai », « j'aime ».
Coche la bonne case.**
Exemple : 1. J'aime le cinéma. → j'aime

	je	j'ai	j'aime
1	...	...	...
2	...	...	...

Français, qui êtes-vous ?

Finale du jeu télévisé – Qui connaît la chanson ?

Catégorie Adultes

Élodie, 28 ans, pharmacienne à Bordeaux, aime chanter les chansons de Florent Pagny.

Paul, un agriculteur, habite à Saint-Vincent, un village de Bourgogne.

Catégorie Jeunes

Arthur est élève au lycée professionnel de Nantes.

Nadia a 17 ans. Elle est élève au lycée Racine à Paris.

LA POPULATION EN FRANCE

Il y a en France 65 millions d'habitants.
52 millions de Français habitent dans une ville
et 13 millions dans un village.
La France compte 36 500 communes (grande
ou petite ville, grand ou petit village).

Il y a en France 5 millions d'étrangers ou
d'immigrés : Algériens (0,5 million), Marocains
et Tunisiens, immigrés d'autres pays de l'Afrique
francophone (voir p. 20-21), Européens (Portugais,
Italiens, Espagnols, Polonais, etc.), asiatiques
(Vietnamiens, Cambodgiens, etc.).

LES PRÉNOMS PRÉFÉRÉS DES FRANÇAIS

Jeunes âgés de 16 à 18 ans		Prénoms d'aujourd'hui	
Filles	Garçons	Filles	Garçons
Léa	Thomas	Emma	Lucas
Manon	Lucas	Léa	Enzo
Camille	Théo	Clara	Nathan
Emma	Hugo	Chloé	Mathis
Marie	Antoine	Inès	Louis

1 Lis les informations sur le jeu télévisé.
Note ces informations dans le tableau.

2 Écoute. Chaque candidat se présente.
Recopie le tableau dans ton cahier
et complète.

Candidats	1	2	3	4
Prénom				
Âge				
Adresse				
État civil				
Profession				
Il aime / elle aime				

→ Projet
Découvre sur internet
des francophones célèbres.

3 Observe les prénoms préférés
des Français. Est-ce qu'on peut
les traduire dans d'autres langues ?

Julie → Julia

4 Lis les autres informations.
Note les différences avec ton pays.

Dans mon pays, il y a des immigrés…
Il n'y a pas d'immigrés…

5 Rédige une petite présentation
de ta star préférée (chanteur,
chanteuse, sportif, sportive, etc.).

Compter

(**1 à 10** voir p. 126)
11 : onze – **12** : douze – **13** : treize – **14** : quatorze – **15** : quinze –
16 : seize – **17** : dix-sept – **18** : dix-huit – **19** : dix-neuf
20 : vingt – **21** : vingt et un – **22** : vingt-deux
30 : trente – **40** : quarante – **50** : cinquante – **60** : soixante –
70 : soixante-dix – **80** : quatre-vingt – 90 : quatre-vingt-dix
100 : cent

Qu'est-ce qu'on fait ?

Ville de Châteauneuf sur Loire
Activités pour les jeunes

Châteauneuf ■ ■ **SUR** Loire

Faites du sport toute l'année !
Allez au CLUB MULTISPORTS
7 boulevard Jean Jaurès

En salle
- **Gymnastique**
- **Musculation**
- **Judo**

Dans le parc
- **Tennis**
- **Volley ball**
- **Piscine**

Le week-end
- **Randonnée**
- **VTT**
- **Ski**

Pour rester en forme...
...Venez à l'espace danse !

Modern Jazz - Hip Hop - Rap...
... Ateliers d'écriture de textes de rap

Activités

1. Observe les publicités pour les clubs. Choisis un club et présente-le.

« Au club forme, on fait de la gymnastique. »

🎧 2. Écoute. Une lycéenne parle de ses activités. Note-les.

– Après les cours : ...
– Le samedi : ...
– Le dimanche : ...
– En vacances : ...

3. Dis ce que tu fais.

– Après les cours : ...
– Le week-end : ...
– En vacances : ...

4. En petits groupes, imaginez un club de loisirs pour votre lycée. Proposez des activités. Réalisez une affiche pour votre club.

Faites de la musique !

École de musique
Cécilia Monti

Le Cyber Club

👁 *chat, forum*

👁 *jeux en réseau*

👁 *billard et babyfoot*

Venez rencontrer des passionnés de jeux vidéo !

JUNGLE AVENTURE

ACCROBRANCHES
dans la forêt de Bolchet

PARLER DES LOISIRS

○ **les sports**
le football – le volley-ball – le basket-ball – le tennis – le ski – la randonnée – le vélo (le VTT) – le skate

○ **les autres activités**
le cinéma – le théâtre – les concerts de musique rock, électronique, classique – la danse

○ **à la maison**
la télévision – la radio – les jeux vidéo – Internet – l'ordinateur

○ **Qu'est-ce que tu fais ?**
Je fais du sport (du tennis – de la randonnée).
Je joue au football. – Je joue à des jeux vidéo.
Je vais au cinéma. – Je vais à la piscine.
Je lis. – Je regarde la télévision.

Parler de ses activités

> Ici, c'est super. On peut faire du VTT et de la randonnée.

> Je vais à la piscine. Tu viens ?

> Non, nous allons au village.

> Nous allons à la plage. Vous venez ?

> Non, je vais chez Hugo faire un poker.

> Ah, tu aimes le VTT et la randonnée ? Moi, non. Je préfère le volley.

1 Observe les constructions des verbes.

aller : Je vais **à la** piscine...
aimer : ...
faire : ...

2 Complète avec les verbes « aller » et « venir ».

○ Dimanche, je ..... faire du ski. Tu ..... avec moi ?
– Tu vas dans les Alpes ?
○ Non, je ..... dans les Vosges.
– D'accord, je ...... Et ma copine Marie, elle peut ..... avec nous ?

3 Complète avec « le », « la », « du », « de la », « à », ...

○ Après les cours je vais faire ..... natation. Tu viens ?
– Et les copains, qu'est-ce qu'ils font ?
○ Céline et Hugo vont ..... des amis. Robin va .... concert avec Antonia.
– Antonia ?
○ C'est une copine étrangère. Elle habite ..... Recife, ... Brésil. Elle adore ..... la musique. Elle est ..... France pour les vacances. Alors, tu viens ..... piscine avec moi ?
– Non, je vais faire ..... tennis.

Pour parler des activités

○ **Faire**

je **fais**	
tu **fais**	
il/elle/on **fait**	**du** vélo (du = de + le)
nous **faisons**	**de la** natation
vous **faites**	**de l'**aérobic
ils/elles **font**	

○ **Aller**

je **vais**	**à** Paris (à + ville)
tu **vas**	**au** cinéma (au = à + le)
il/elle/on **va**	**à la** piscine
nous **allons**	**aux** toilettes (aux = à + les)
vous **allez**	**chez** Pierre (chez = nom
ils/elles **vont**	de personne)

○ **Venir**

je **viens**	nous **venons**
tu **viens**	vous **venez**
il/elle/on **vient**	ils/elles **viennent**

○ **NB :**

on = nous → *On va au cinéma ? (= Nous allons au cinéma ?)*
on = ils / elles → *En classe, on parle français. (= En classe, les étudiants parlent français.)*

Les pronoms « moi », « toi », « lui », « elle »...

4 Observe l'utilisation des pronoms et complète. ⋮

○ Flore fait du sport avec Pierre et Antoine ?
– Oui, elle fait du tennis avec ...
○ Flore habite chez Marie ?
– Oui, elle habite chez ...

○ Elle vient en vacances avec nous ?
– Oui, elle vient avec ...
○ Elle vient sans Julien ?
– Oui, elle vient sans ...

> Viens avec nous !

> Avec qui tu vas ?
> Avec moi, avec lui, avec elle ou avec eux ?

Les pronoms après une préposition

Marie vient chez moi, avec toi, sans eux.

je → **moi**	il → **lui**	nous → **nous**	ils → **eux**
tu → **toi**	elle → **elle**	vous → **vous**	elles → **elles**

Faire un projet

> Demain nous **allons faire** une randonnée.
> Et toi, qu'est-ce que tu **vas faire** ?

5 Observe les constructions ci-contre. Complète. ⋮

○ Aujourd'hui, je fais du tennis.
Demain, je ... une randonnée.
○ Aujourd'hui, nous regardons un film à la télévision.
Demain, nous ...

> Je suis fatiguée. Je **vais rester ici**. Je **vais lire** un roman.

Pour parler du futur

aller + verbe à l'infinitif
Demain, je *vais faire* une randonnée
Demain, je *ne vais pas* travailler.

6 Mélissa, Noémie, Florent et Lucas font des projets de week-end. Imagine ce qu'ils disent. Utilise : ⋮

aller – venir – faire – écouter – regarder – lire
écrire – travailler – rester – apprendre – jouer

À l'écoute de la grammaire

1 🎧 Distingue « je vais » [v] et « je fais » [f]. ⋮

Je vais en Finlande.
Je vais en Hollande.
Moi, je reste en France.

Et je fais du ski.
Et je fais du vélo.
Je vais faire de la danse.

2 🎧 Le rythme des groupes « verbe + verbe ». ⋮

Pas d'accord
Il aime faire du tennis... Moi, j'aime faire du volley.
Il voudrait aller au cinéma... Je voudrais aller au concert...

Un été à Paris

1 Le 12 juillet à la Cité universitaire.

Noémie (avec Mélissa) : Lucas, c'est nous !
Lucas : Entrez.

...

Transcription ➜ p. 139

Activités

1. Écoute la scène 1. Complète ces phrases.
Mélissa et Noémie vont ... .
Elles invitent ... .
Lucas reste ... pour ... . Il voudrait ... .

2. Écoute la scène 2. Dis si les phrases suivantes sont vraies ou fausses.
a. Mélissa et Florent font des projets pour le dimanche.

b. Mélissa a envie d'aller à l'Accrobranches avec Lucas.
c. Florent n'est pas fatigué. Il n'a pas envie d'être avec Lucas.
d. Florent a envie de rester à Paris.

3. Écoute la scène 3. Réponds.
Qui est Quasimodo ?
Lucas a envie de jouer le rôle de Quasimodo dans la comédie musicale ?
Quel rôle va jouer Florent ?

4. Par groupe de trois ou quatre imaginez et jouez la scène.
C'est samedi après-midi. Tu es seul(e).
Tu n'as pas envie de rester chez toi. Tu as envie de sortir... Tu téléphones à tes amis.

DIRE SES GOÛTS

☺ ☺	J'aime beaucoup le ski.
☺	J'aime un peu la danse.
☹	Je n'aime pas beaucoup la randonnée.
☹ ☹	Je n'aime pas du tout le volley.

2   Le 13 juillet.

Florent : Demain il n'y a pas de cours. Qu'est-ce qu'on va faire ?
Mélissa : Lucas et Pedro proposent un Accrobranches.
Florent : Encore Lucas ! Tu vas avec eux ?
Mélissa : J'ai bien envie. Tu viens ?
Florent : Je suis un peu fatigué.
Mélissa : Ne reste pas seul à Paris ! Viens !
Florent : Non, je vais rester ici.
Mélissa : Dommage !

3   Le 16 juillet. Au théâtre de la Cité Universitaire.

Lucas : Alors, Sarah. Qui va avoir le rôle de Quasimodo ?
Sarah : Je suis désolée Lucas...
Lucas : Vous préférez Florent ?
Sarah : Oui.
Lucas : Dommage... << Je me voyais déjà en haut de l'affiche. >>

PROPOSER – INVITER

○ **Tu as envie d'aller au cinéma ?**
Je vais au cinéma, tu viens ?
J'ai envie de regarder un film. Et toi ?

○ **D'accord**
Oui, je peux venir   J'ai envie d'aller au cinéma .

○ **Excusez-moi. Je ne peux pas venir.**
Je vais travailler.

🔊 PRONONCIATION

1. Le rythme : un groupe ou deux groupes ?
Elle s'appelle Amélie.   6
Il s'appelle Jérémy.   3 + 3
Elle travaille à Paris.
Et lui à Chantilly.

2. Compte les groupes
• Nous sommes inscrits au Club Multisports.
• Nous faisons de la danse et de la natation.
• Nous allons faire des randonnées dans la forêt de Fontainebleau.

3. Le rythme de la phrase négative. Réponds. Répète la réponse.
• Lucas va au cinéma ?
– Non, il ne va pas au cinéma.
...

Juillet en France

La France est un pays très varié.

Vous aimez la montagne ? Allez randonner dans les Alpes ou le Massif central.

Vous préférez la mer ? Allez sur les plages de la Côte d'Azur ou de l'océan Atlantique.

Intéressé par l'histoire ? Visitez la ville d'Arles ou les châteaux de la Loire.

Envie d'un spectacle ? Juillet est la saison des festivals : théâtre à Avignon, rock à Carhaix et à Arras…

Et n'oubliez pas : il y a en France 22 régions et 35600 communes. Chaque région, chaque commune a une histoire, des traditions, des paysages.

Il y en a pour tous les goûts !

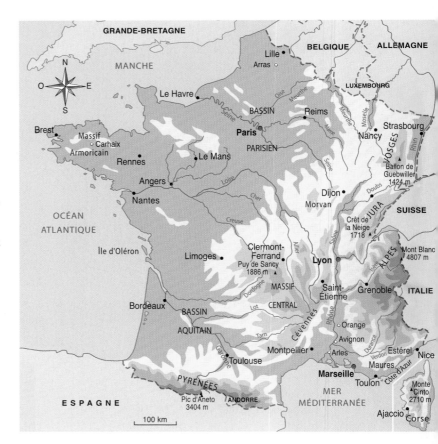

1 Lis le document « Juillet en France ». Situe les lieux sur la carte. Observe les régions, les montagnes, les fleuves et les grandes villes sur la carte de la page 144. ⋮

2 En petits groupes, rédigez une présentation de votre pays. Inspirez-vous du texte « Juillet en France ». ⋮

3 Lis le courriel. Réponds.

a. Qui écrit ?
b. À qui le message est destiné ?
c. De quel lieu on parle ?
d. Imagine le message de Sylvain.
e. Quelle est la réponse de Jérémy ?

| Supprimer | Indésirable | Répondre | Rép. à tous | Réexpédier | Imprimer |

De : Jeremy Bonal
À : Sylvain Pesquet
Date : 10 juillet 2012
Objet : Re-invitation

Bonjour Sylvain !
Merci beaucoup pour ton invitation au festival des Vieilles Charrues. Le programme est excellent : il y a de bons artistes et de bons groupes.
Je voudrais bien venir mais je ne peux pas. C'est dommage… Le week-end du 8 juillet, une copine fait une grande fête. Il y a tous les copains et les copines du lycée.
Alors tu comprends…
Bons concerts !
Jérémy

4 Rédige une invitation pour une personne que tu connais. ⋮

→ Projet
Imagine une affiche publicitaire pour l'office du tourisme de ton pays.

Le jeu du musée Grévin

Ils sont entrés au musée Grévin.

Monica Belluci

Tintin

Zinedine Zidane

Marie-Antoinette

❶ J'ai été un médecin dans la série télévisée « Urgences ». J'ai eu un Oscar pour le film « Syriana ».

❷ J'ai écrit Notre-Dame-de-Paris en 1831.

❸ J'ai fait des concerts dans le monde entier. J'ai chanté « Like a virgin ».

❹ Je suis né en Espagne. J'ai joué dans beaucoup des films de Pedro Almodovar.

Activités

1. Que peut–on voir, que peut–on faire au musée Grévin ?

2.
a) Fais le jeu. Associe les phrases avec les photos.
b) Observe la construction du temps du verbe.
c) Présente chaque personnage
Exemple : 1 → Il a été un médecin dans la série télévisée « Urgences ». Il …

Vous les connaissez ?

Antonio Banderas

Madonna

Victor Hugo

George Clooney

Au musée Grévin 3000 personnages de cire ont rendez-vous avec vous pour des rencontres, des photos, des souvenirs.

Ouvert tous les jours :
- du lundi au vendredi de 10h00 à 18h30
- les samedi, dimanche, jours fériés et vacances scolaires de 10h00 à 19h00

❺ Je suis née en Autriche en 1755. J'ai habité le château de Versailles.

❻ J'ai joué au Real de Madrid. En 1998, j'ai gagné la Coupe du Monde de football.

❼ Je suis allé sur la lune avec un chien en 1954.

❽ Je suis née en Italie. En 2002, j'ai joué dans le film « Cléopâtre ».

3.
a) En petits groupes, choisissez cinq personnes importantes pour vous. Dites ce qu'ils ont fait.
Exemple : Nelson Mandela : Il est resté 20 ans en prison. Il a été président de l'Afrique du Sud...
b) Rédigez une présentation de ces personnes.

Présenter des événements passés

Qu'est-ce que vous avez fait samedi et dimanche ?

Nous avons fait un voyage à Paris.
Nous sommes partis à 6h et nous sommes arrivés à 9h.
Nous avons visité le musée Grévin.
J'ai vu Céline Dion.
Jérémy a aimé Marion Cotillard.

ministère
éducation
nationale **é**
Lycée Victor Hugo

SORTIE DU LYCÉE VICTOR HUGO

Week-end à Paris

Programme

Samedi 6 mars
6h : Départ de Marseille
9h : Arrivée à Paris
10h : Visite du musée Grévin
12h30 : Déjeuner

1 Observe les exemples ci-dessus et ceux des pages 44 et 45.

a. Parle-t-on...
– du présent ? – du passé ? – du futur ?
b. Observe la forme des verbes. Retrouve la conjugaison.
Cas n° 1
Présent de ... + participe passé
Cas n° 2
Présent de ... + participe passé
c. Fais la liste des verbes et de leur participe passé. Classe-les.
○ verbes en –er : ***arriver*** → ***arrivé*** ; ...
○ autres verbes : ***voir*** → ***vu*** ; ...

2 Observe l'accord du participe passé.

Clara est **venue** chez moi.
Elle a **écouté** de la musique.
Anna et Eva sont **allées** au cinéma.
Pierre et Dylan sont **allés** au bowling.
Luc est **resté** chez lui.

3 Mets les verbes au passé composé.

○ Qu'est-ce que tu (***faire***) dimanche ?
– Je (***aller***) au cinéma avec Pierre. Nous (***voir***) un film très amusant. Après, je (***rentrer***) chez moi et j' (***faire***) mes devoirs.

4 Dans le tableau ci-dessous, observe la construction négative du passé composé. Prépare des réponses très utiles en classe.

Le professeur : Vous avez compris ?
L'élève : Non, je n'ai pas compris.
Le professeur : Vous avez lu le texte ?
L'élève : Non, …
Le professeur : Vous avez appris la conjugaison ?
L'élève : Non, …

Préciser l'heure

5 Observe comment on dit l'heure.

a. Écris en chiffres :
○ trois heures dix
○ cinq heures et quart
○ huit heures moins vingt
○ neuf heures et demie

b. Quelle heure est-il ?

| 09:20 | 16:45 | 12:05 |
| 15:30 | 00:15 | 03:50 |

 c. Écoute. Complète ces informations.

Cinéma Forum

Film	heures
Le Jour d'après	…

BIBLIOTHÈQUE
André Malraux

ouverte de … à …
du … au …

À l'écoute de la grammaire

 1 Distingue le présent et le passé.

Présent	Passé
1. J'aime les films historiques	2. Je suis allé (e) au cinéma
…	…

Le passé composé

Le passé composé est utilisé pour parler d'un événement passé.
*Hier, j'**ai fait** du tennis.*
*Il **est parti** le 8 avril.*

○ **Formation**
Cas général → *avoir* + participe passé

j'ai parlé	nous avons parlé
tu as parlé	vous avez parlé
il/elle a parlé	ils/elles ont parlé

Cas des verbes :
aller – venir – arriver – partir – rester – etc.
→ *être* + participe passé

je suis parti(e)	nous sommes parti(e)s
tu es parti(e)	vous êtes parti(e)(s)
il/elle est parti(e)	ils/elles sont parti(e)s

○ **Interrogation**
Elle est partie ? Est-ce qu'elle est partie ?

○ **Négation**
Elle n'est pas partie. Je ne suis pas resté(e).

Dire l'heure

Quelle heure est-il ? Il est quelle heure ? Il est…

	forme familière	forme officielle
08:00	huit heures (du matin)	huit heures
08:10	huit heures dix (minutes)	huit heures dix
08:15	huit heures et quart	huit heures quinze
08:30	huit heures et demie	huit heures trente
12:00	midi	douze heures
12:45	une heure moins le quart	douze heures quarante-cinq
13:00	une heure (de l'après-midi)	treize heures
18:50	sept heures moins dix (du soir)	dix-huit heures cinquante
00:00	minuit	zéro heure

→ Être (arriver, etc.) en avance / à l'heure / en retard

2 Prononciation du passé composé. Répète. Imagine une suite à l'histoire.

Rupture
Elle est entrée… J'ai regardé.
Elle a parlé… J'ai écouté.
Nous avons déjeuné… Nous avons adoré.
Elle a expliqué… Je n'ai pas compris.
Elle est partie… Je suis resté.

Un été à Paris

SORTIE

1 Le soir du 25 juillet, au théâtre de la Cité internationale.

Sarah : Lucas, tu as vu Florent ?
Lucas : Non.
Mélissa : Moi non plus. J'ai appelé. Il ne répond pas. Quelle heure est-il ?
Sarah : 8h... On a un problème.
Lucas : Je peux jouer le rôle de Quasimodo, moi.
Sarah : Je sais, Lucas.
Mélissa : Noémie, tu as vu Florent après la répétition de 10h ?
Noémie : Oui, à 2h on est allés au jardin des Tuileries, on a mangé un sandwich. On est rentré à 5h. Florent est allé dans sa chambre.
Lucas : Je vais voir.
...
Noémie : Ah, le voilà !
Florent : Excusez-moi, j'ai dormi jusqu'à 8 h. Je suis désolé.

Activités

 **1.** Écoute la scène 1.
a. Quel est le problème ?
b. Raconte la journée de Noémie

2. Écoute la scène 2. Complète le dialogue. Note les expressions de félicitations.

3. Écoute la scène 3. Dis si les affirmations suivantes sont vraies ou fausses.
a. Florent est content
b. Noémie utilise une expression québécoise
c. Noémie explique l'expression à Florent

4. Travail en petits groupes : chaque groupe choisit un personnage de l'histoire et imagine le futur de ce personnage.

RÉPONDRE : MOI AUSSI / MOI NON PLUS

○ J'aime la musique
– **Moi aussi**.

○ Et Marie ? Et Pierre ?
– **Elle aussi** et **lui aussi**.
○ Je n'aime pas le rap.
– **Moi non plus**.

○ Et Marie ? Et Pierre ?
– **Elle non plus** et **lui non plus**.

Échanges

2 **Après le spectacle, à Montmartre.**

Sarah : Félicitation à tous !
Florent : ...
Mélissa : ...

Transcription ➜ p.140

Lucas : Excusez-moi. J'ai un SMS.
Mélissa : Moi aussi.

Bonjour Mélissa ! Je suis
arrivé hier à Paris.
Je voudrais visiter la ville
avec toi. Réponds-moi
vite.
Maxime

Lucas !
J'ai une semaine de
vacances. Je pars faire
du surf sur la Côte
Basque. Tu viens ?
Élise

3 **Dans les rues de Montmartre.**

Lucas : On va aux Champs Elysées !
Mélissa : Super !
...
Noémie : Toi, Florent, « tu as de la misère » !
Florent : Qu'est-ce que tu dis ?
Noémie : Tu as de la misère ! C'est une
expression du Québec.
Florent : Qu'est-ce que ça veut dire ?
Noémie : Ça veut dire : « Tu as un
problème ? »
Florent : Mais pas du tout ! Je n'ai pas
de problème.
Noémie : Alors, tu viens aux Champs Elysées
avec nous...
Florent : D'accord !

DEMANDER UNE EXPLICATION

○ Vous pouvez répéter !
Je ne comprends pas.

○ Qu'est-ce que vous dites ?

○ Qu'est-ce que ça veut dire ?
– « Ami », ça veut dire
« friend » en anglais.

○ Vous pouvez traduire ?

🎧 PRONONCIATION

1. Le rythme et l'enchaînement
○ **Horaires**
● – / ● – huit heures – midi / deux
heures – six heures
●● – / ●● – huit heures trente / six heures
trente
●●● – / ●●● – une heure et demie / quatre
heures et demie
●● – / ●● – de sept heures à quinze
heures / de huit heures à seize
heures

○ **En avance ou en retard**
Quelle heure est-il ? Six heures moins dix ?
Six heures moins le quart ? Six heures
cinq !

2. L'enchaînement avec [t] et [n]
Voyage
Un grand aéroport... un grand avion
Un petit hôtel une petite île
En Indonésie... avec un ami... avec une
amie
Un bon accueil une excellente année

unité un – leçon 4

quarante-neuf **49**

Rythmes de vie

Les employés travaillent 35 heures par semaine et ont cinq semaines de vacances par an.

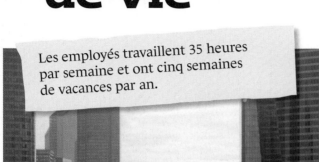

LA POSTE

Horaires d'ouverture
Du lundi au vendredi de 8 h à 19 h
Samedi de 8 h à 12 h

Boutique
Jennyfer
OUVERTE
de 10 h à 19 h
du lundi au samedi

HYPERMARCHÉ

Carrefour
Ouvert
du lundi au jeudi
de 8 h 30 à 21 h
le vendredi et le samedi
de 9 h à 22 h

Calendrier

MAI	JUIN	JUIL	AOÛT	SEPT	OCT	NOV

1 Observe le calendrier. Repère :

– les mois de l'année ;
– les jours de la semaine ;
– les saisons ;
– les fêtes.

2 🎧 Observe l'emploi du temps de Léa.

Écoute : Louis interroge Emma sur ses activités.
Corrige les erreurs et complète l'emploi du temps.

L'emploi du temps de Léa

	Vendredi 12		Samedi 13		Dimanche 14
8	mathématiques	8	} anglais européen	8	
9		9	}	9	
10	} français	10		10	
11	histoire	11	— cadeau Emma	11	
12		12		12	
13	— espagnol	13		13	
14	— physique	14	} tennis	14	
15	— anglais	15	}	15	
16		16		16	
17		17		17	
18		18		18	
19		19		19	
20		20	— soirée	20	
21		21	chez Emma	21	

DATES DES VACANCES

ZONE A

- **Rentrée :** 1er septembre
- **Vacances de Toussaint :** du 25 octobre après la classe au 6 novembre au matin
- **Vacances de Noël :** du 22 décembre après la classe au 8 janvier au matin
- **Vacances d'hiver :** du 9 février après la classe au 26 février au matin
- **Vacances de printemps :** du 30 mars après la classe au 16 avril au matin
- **Vacances d'été :** le 3 juillet après la classe

3 En petits groupes, lisez les autres documents. Notez les différences avec les rythmes de votre pays : ⋮

– la journée de travail du cadre ;

– la journée scolaire ;

– les vacances ;

– les heures d'ouverture des magasins et des bureaux.

Dans les écoles primaires on travaille quatre jours par semaine : le lundi, le mardi, le jeudi et le vendredi, de 8h30 à 13h30 et de 13h30 à 16h30. Beaucoup d'enfants déjeunent à l'école. Au lycée, on peut travailler le lundi, le mardi, le jeudi et le vendredi toute la journée ; le mercredi et le samedi le matin.

4 Observe dans le tableau comment on dit la date. Formule les informations suivantes comme dans l'exemple. ⋮

Exemple : 03–02–1970. Naissance de Célia.
→ Célia est née le 3 février 1970.

a. 1990. Entrée à l'université
b. 1992–1994. Stage à Cambridge
c. juin 1995. Diplôme de professeur d'anglais
d. 25-08-1994. Rencontre avec William
e. septembre 1998. Départ pour l'Australie

La date

Elle est née quand ? Quand est-ce qu'elle est née ?
Elle est née le 3 mai 1960 (en mai, en 1960).
- **les jours de la semaine**
lundi, mardi, mercredi, jeudi, vendredi, samedi, dimanche
- **les mois de l'année**
janvier, février, mars, avril, mai, juin, juillet, août, septembre, octobre, novembre, décembre
- **hier, aujourd'hui, demain**

8 mai	la semaine dernière ↑
15 mai	avant-hier
16 mai	hier
17 mai	aujourd'hui
18 mai	demain
19 mai	après-demain
	la semaine prochaine ↓

- **de ... à**
Il est resté aux États-Unis **de** 2004 **à** 2006 .

 Projet
Commence ton journal en français.

J'apprends avec les autres

1 Tu utilises les mots de tous les jours. Complète ce qu'ils disent.

a. « ... Où est ... »

b. « Bonjour ... »

c. « ... À 9 h au club ! »

d. « Bravo, ... »

e. « Oh, je suis ... ! »

2 Tu participes à ton apprentissage. Que dis-tu dans les situations suivantes ? Utilise les verbes : « comprendre », « répéter », « expliquer », « s'excuser », « vouloir », « dire ».

a. En classe, tu ne comprends pas l'expression « Asseyez-vous ! ».
b. Tu n'as pas entendu la consigne du professeur.
c. L'exercice est difficile.
d. Tu n'as pas fait l'exercice.

3 Tu comprends des informations au sujet d'une personne.

1. Nom
2. Prénom
3. Nationalité
4. Profession
5. Date de naissance (ou âge)
6. Lieu de naissance
7. Adresse
8. Téléphone
9. Courriel
10. Langues parlées

a. Écoute. Fais correspondre chaque question avec un mot de la fiche.

Question	Exemple	a.	b.	c.	d.	e.
Fiche	4					

b. Écoute. Fais correspondre l'information avec un mot de la fiche.

Question	Exemple	a.	b.	c.	d.	e.
Fiche	1					

4   Tu peux parler de tes loisirs.

a. Lis les trois documents. Recopie le tableau dans ton cahier et complète.

	1	2	3
Le document parle de quel événement ?			
Où se passe l'événement ?			
Quel jour ? À quelle heure ?			
Quelle activité va-t-on faire ?			

b. Écris un petit message pour inviter un(e) ami(e) à une de ces manifestations.

> **❶ Le 21 juin**
> **FÊTE DE LA MUSIQUE**
> *Toute la ville fait de la musique !*
> Venez jouer ou écouter
>
> **❷ Le club FORME organise**
> UNE **JOURNÉE SPORTIVE**
> DANS LA FORÊT DE
> FONTAINEBLEAU
> **Dimanche 26 octobre**
> Départ à 8 h du club.
> Retour à 19 h
>
> *Randonnée, escalade, volley*
>
> **❸ AU SATURNE**
> **SOIRÉE TECHNO ÉLECTRO**
> **Spéciale 31 décembre**
> Avec DJ Doc Brian

5   Tu peux dire ce que tu as fait.

Elle raconte son voyage dans les Alpes. Fais cinq petites phrases.
« Avec mes parents, nous sommes ... . J'ai ...

> Voyage de trois jours dans les Alpes.
> Départ vendredi matin.
> Visite de la ville d'Annecy.
> VTT et canyoning.
> Retour dimanche soir.

6   Tu peux parler d'un projet d'activités pour le week-end.
Observe les dessins et écris cinq petites phrases.

Je me débrouille

Dans cette unité, je vais apprendre à...

- voyager dans un pays francophone.
- me nourrir.
- faire des achats.
- organiser ma vie quotidienne.

Leçon 5 Bon voyage !

- choisir une destination de voyage
- connaître les moyens de transport
- comprendre un horaire
- faire face aux situations courantes relatives au voyage

« Pour Lyon, il y a un TGV à quelle heure ? »

« Je voudrais un billet pour Bayonne, s'il vous plaît. »

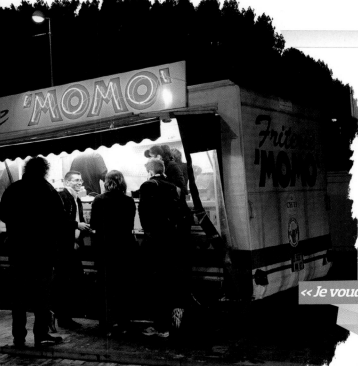

Leçon 6   Bon appétit !

- connaître le nom de quelques plats et boissons
- commander un repas
- exprimer l'appartenance
- connaître les habitudes des Français en matière de repas

« Je voudrais l'addition, s'il vous plaît. »

« Je vais prendre un steak-frites, s'il vous plaît. »

Leçon 7   Quelle journée !

- parler des activités quotidiennes
- donner des précisions sur un emploi du temps
- donner des instructions
- faire un achat

« Prépare-toi ! »

« Demain on se lève à 7 heures ! »

Leçon 8   On est bien ici.

- décrire un logement
- s'orienter
- comprendre et expliquer un itinéraire
- exprimer un besoin
- écrire une carte postale ou un message de vacances

« Voici ma chambre. »

« J'ai besoin d'un renseignement. »

Office du tourisme étudiant

➤ Plus loin Moins cher

| Accueil | Séjours | Circuits | Week-ends | Avion | Train |

Nos meilleurs prix
Tout compris voyage hôtels visites

DÉCOUVERTE DU QUÉBEC ➤ **15 JOURS : 700 €**

En car, visitez les villes de Montréal et de Québec.
Découvrez le lac Saint-Jean, les plus beaux paysages
du Québec et les animaux sauvages.

**RANDONNÉE DANS
LES PYRÉNÉES**
➤ **15 JOURS : 300 €**

Découvrez la nature
et les habitants.
Dormez sous la tente
ou chez l'habitant.

Activités

**1. En petits groupes, lisez et discutez les propositions
de l'Office du tourisme étudiant.**
a) Pour chaque proposition, notez :
– le type de voyage : séjour, circuit, etc. ;
– les destinations : le Québec, etc. ;
– les activités : visiter, découvrir, etc.

b) Observez les mots « plus », « meilleur », moins ».
Quel est le voyage ou le séjour...
– ...le plus cher ?
– ...le moins cher ?
– ...le plus intéressant ?
– ...le plus fatigant ?
c) Choisissez un voyage et présentez-le à la classe.
« Nous préférons ... . C'est plus ... »

SÉJOUR AVENTURE EN GUYANE
➤ 10 JOURS : 600 €

À pied ou en pirogue, découvrez la forêt amazonienne et les villages wayanas.

VACANCES SPORTIVES EN CORSE
➤ 15 JOURS : 450 €

Au club du Grand Bleu
Faites tous les sports de mer : voile, planche à voile, kite surf, jet ski, plongée. Dormez sous la tente ou chez l'habitant.

2. En petits groupes, réalisez la page d'accueil d'un site Internet d'une agence de voyage (voir projet page 63).

a) Dans chaque groupe, chaque étudiant(e) imagine un projet de voyage et prépare une brève présentation pour chaque voyage (deux ou trois phrases).
b) Chaque groupe compose sa page d'accueil.
c) Chaque groupe présente sa page d'accueil à la classe.

PARLER D'UN VOYAGE

○ **Où**
Je voudrais aller en France, à Paris
Je suis allé(e) au Brésil, j'ai visité la région de...

○ **Comment**
Je pars, je voyage
... en voiture, en train, en avion
... en bateau, à pied, à vélo
J'ai pris le train / l'avion / le bateau.

○ **J'aime, je préfère...**
J'aime partir loin.
un voyage fatigant / tranquille –
intéressant / pas intéressant –
cher / trop cher / pas cher
Ce voyage est plus intéressant, moins fatigant.
En Grèce on peut voir des monuments. On peut faire ...

5 ## Bon voyage !

> Le prix du voyage en Égypte est 500 €.
> Le voyage au Mexique est **plus** cher.
> Le voyage en Corse est **moins** cher.
> Le voyage au Maroc est **aussi** cher.

> Ces voyages sont **trop** chers pour moi !

Comparer

1 Observe les comparaisons. Lis le tableau « Comparer ».

2 Continue les phrases suivantes :

Le prix du voyage au Maroc est 500 €.
Le voyage en Italie est ...
Le voyage en Russie est ...
Le voyage en Egypte est ...
Le voyage en Italie est ... de tous les voyages.
Le voyage en Russie et le voyage au Mexique sont ...

Nos meilleurs prix	
Égypte	500 €
Mexique	700 €
Thaïlande	600 €
Maroc	500 €
Corse	450 €
Italie	350 €
Russie	700 €

Comparer

○ Marseille (1 million d'habitants) est une grande ville.
Paris (12 millions) est **plus** grande.
Lyon (1 million d'habitants) est **aussi** grande.
Montpellier (300000 habitants) est **moins** grande.
○ Paris est **la plus** grande ville de France.
○ L'hôtel du Parc est un bon hôtel.
Mais l'hôtel du Palais est **meilleur**.
L'hôtel du Centre est **moins** bon.
L'hôtel du Palais est **le meilleur** hôtel de la ville.

3 Écris de courtes phrases pour comparer. Utilise les adjectifs entre parenthèses.

○ des acteurs et des actrices (**bon**, **jeune**, **beau**, **célèbre**, **comique**)
Leonardo Di Caprio est un bon acteur.
Johnny Depp est ....
○ des activités (**intéressant**, **fatigant**)
Le cours de français est intéressant. Le cours de maths est ...

Proposer, accepter, refuser

> En juillet, nous allons faire une randonnée dans les Pyrénées. Tu **veux** venir ?

> Je ne **peux** pas. Je **dois** aller à Paris pour **prendre** des cours de chant.

4 Observe les verbes « vouloir », « pouvoir », « devoir » et « prendre ». Complète les phrases avec ces verbes.

Propositions de week-end
Léa : Je vais faire du ski ce week-end, tu ... venir avec moi?
Marco : Je voudrais bien mais samedi je ... le train pour Lyon. Je ... aller au mariage d'un copain.
Léa : Et toi Flore, tu viens ?
Flore : Désolée. Je ne ... pas. Je ... travailler tout le week-end.

5 Cherche deux verbes conjugués comme « prendre ». ⋮

 6 En petits groupes, continuez les débuts de phrases. Cherchez des phrases utiles dans la classe. ⋮

Exemple : *Prenez votre cahier d'activités.*

Le professeur ...   Je ne sais pas ...
Prenez ...   Je ne peux pas ...
Vous devez ...   Est-ce que je peux ... ?
Vous voulez ... ?   Est-ce que je dois ... ?
L'étudiant ...

○ vouloir	○ devoir
je **veux**	je **dois**
tu **veux**	tu **dois**
il/elle **veut**	il/elle **doit**
nous **voulons**	nous **devons**
vous **voulez**	vous **devez**
ils/elles **veulent**	ils/elles **doivent**

○ pouvoir	○ prendre
je **peux**	je **prends**
tu **peux**	tu **prends**
il/elle **peut**	il/elle **prend**
nous **pouvons**	nous **prenons**
vous **pouvez**	vous **prenez**
ils/elles **peuvent**	ils/elles **prennent**

Montrer

Voici le lac vert et le mont Canigou. Regarde **ces** montagnes, **ce** lac, **cette** forêt ! On va dormir ici !

Quel est **cet** animal ?

 7 Observe les mots utilisés pour montrer. Complète. ⋮

Entendu au musée Grévin

« Qui sont ... personnages ? Je connais ... acteur, c'est Gérard Depardieu. Et ... chanteuse, c'est Céline Dion. Regarde ... personnage. C'est Charlie Chaplin ! »

Les démonstratifs

	masculin	féminin
singulier	**ce** livre **cet** hôtel *(devant voyelle)*	**cette** photo
pluriel	**ces** livres – **ces** hôtels – **ces** photos	

À l'écoute de la grammaire

1 🎧 Distingue [y] et [u]. ⋮

Déclaration

Tu es le plus sympa de tous...
le plus curieux... le plus mystérieux...
...

2 🎧 Prononce le [ɛ]. ⋮

○ Il est deux heures. Tu veux déjeuner ?
– Je ne peux pas. Je veux aller chez le docteur Durieux, en banlieue.
○ C'est curieux !

On est là

Vacances à la montagne

1 À Strasbourg, le 5 juillet, devant le lycée Kléber.

Malik : Super ! J'ai le bac !
Antoine : Moi aussi ! Avec mention Bien.
Malik : Génial ! Et vous les filles ?
Julie : C'est gagné !
Clara : Oui mais, moi, c'est avec mention << très bien >> !
Antoine : Alors, tu es la meilleure. On va fêter ça ?

2 Dans la chambre de Clara.

Malik : En août, on va faire un voyage ensemble ?
Clara : Pour aller où ?
Malik : Je ne sais pas… Au Québec ou au Mexique…
Julie : Attends, un voyage au Québec, c'est 700 euros ! C'est trop cher pour moi.
Clara : Allons faire une randonnée dans les Alpes. C'est plus près.
Antoine : Écoutez ! J'ai une proposition moins chère et aussi intéressante. Fin juillet, je suis invité chez des cousins dans les Pyrénées, à Cambo, près de Bayonne. Ils ont une maison. Vous pouvez venir.
Clara : Tes cousins vont être d'accord ?
Antoine : Je vais demander.
Julie : Et c'est bien, Cambo ?
Antoine : Regarde. J'ai des photos sur mon portable.

Activités

 1. Écoute la scène 1. Dis si les phrases sont vraies ou fausses.
a. Antoine, Clara, Julie et Malik sont des lycéens.
b. Ils regardent les résultats du baccalauréat.
c. Les quatre amis ont le bac.
d. Clara a de bonnes notes mais Antoine est meilleur.

2. Écoute la scène 2. Note leurs propositions pour les vacances.
Malik : un voyage au …
Clara : …
Antoine : …
Est-ce que Julie est d'accord ?

3. Écoute la scène 3. Recopie le tableau dans ton cahier et complète.

Quelles activités on peut faire à Cambo ?	Que répond Julie ?
…	…

4. Lis les échanges de SMS. Complète.
Antoine est invité à … à la fin du mois de… .
Il veut aller chez ses cousins avec … .
Il écrit un … . Il voudrait aller à Cambo avec … .
Son cousin Nicolas répond. Il est… .

5. À deux jouez la scène.
Avec un(e) ami(e), tu fais des projets de voyage pour les vacances.

3

Antoine : Regardez ces paysages... Cette rivière... Ce petit lac... C'est pas beau ?

Julie : Si, mais qu'est-ce qu'on va faire là-bas ?

Transcription ➜ p.140

Salut les cousins ! Merci pour votre invitation fin juillet. Est-ce que je peux venir avec un copain et deux copines ? Ils sont sympas !
Antoine

D'accord mais les garçons vont dormir sous la tente dans le jardin.
Nicolas

RÉPONDRE

○ Vous faites du VTT ?
– **Oui**, j'aime bien.
– **Non**, je n'aime pas du tout.

○ Vous n'aimez pas les randonnées ?
– **Si**, j'aime beaucoup ça.
– **Non**, je n'aime pas. C'est trop fatigant.

PRONONCIATION

1. Les sons [b] – [v] – [f]. Coche dans ton cahier le son que tu entends.

	[b]	[v]	[f]
1			
2			
...			

2. Les sons [b] et [v]
Après le concert
Quelle voix !...
Bravo ! C'est beau...
C'est bien... Je reviens...
Et vous ?... Votre avis ?...
Mon avis ?... C'est bizarre...
Et vos amis ?...
Que font-ils ?... Ils vont faire la fête ?...
Oui, on les voit ... dans les boîtes de nuit.

Voyager en France

Les Français utilisent beaucoup leur voiture. Le réseau des routes et des autoroutes est très important.
La SNCF (Société Nationale des Chemins de fer Français) organise les voyages en train. On prend le TER (Train Express Régional), le RER (Réseau Express Régional de la région parisienne) ou le TGV (Train à Grande Vitesse). Avec le TGV, on peut faire Lille-Marseille en quatre heures et quarante minutes.
Pour aller d'une ville à un village on prend l'autocar (le car).
Dans chaque grande ville, il y a un aéroport. Air France, des compagnies européennes ou des compagnies à bas prix proposent des vols pour Paris, les autres villes de France ou l'étranger.
Dans Paris on peut prendre le métro, le bus (RATP) ou le tramway dans certains quartiers. Dans les autres villes, on utilise le bus ou parfois le tramway ou le métro (comme à Montpellier, à Strasbourg, à Lille, à Toulouse, etc.).
Et bien sûr, on peut aussi prendre un taxi.

1 Lis le texte « Voyager en France ».

a. Fais la liste des moyens de transport. Complète avec un moyen de transport.
– Pour aller de Paris à Tokyo, on prend ...
– De Paris à Marseille, on prend ...
– Du centre de Paris à Versailles (20 km), on prend ...
– À Paris, pour aller de l'Arc de Triomphe à la Tour Eiffel, on prend ...
b. Donne ton opinion sur les transports dans ton pays et dans les pays que tu connais.

	TGV 9578	TGV 2426
STRASBOURG	D : 08.12	D : 12.13
⟩ PARIS EST	A : 10.37	A : 14.37
	TGV 8525	TGV 8543
PARIS MONTPARNASSE	D : 12.10	D : 15.50
⟩ BAYONNE	A : 17.18	A : 20.46
	TER 67317	TER 67727
BAYONNE	D : 18.11	D : 21.09
⟩ CAMBO	A : 18.39	A : 21.32

VACANCES : LES DESTINATIONS PRÉFÉRÉES DES EUROPÉENS

50 % des Européens passent leurs vacances dans un pays d'Europe. L'Italie, l'Espagne, puis la France sont leurs destinations préférées.

Les jeunes Français aiment voyager aux États-Unis (14 %), en Espagne (11 %), en Australie (8 %), au Canada (7 %) ou en Italie (6 %).

Mais aujourd'hui de nouvelles destinations intéressent les jeunes : la Croatie pour ses îles magnifiques et ses soirées de fêtes ou l'île espagnole d'Ibiza qui accueille les meilleurs DJ du monde. Ils apprécient aussi Berlin, capitale de la musique électro ou Budapest pour son festival Sziget.

2 Lis le vocabulaire « Utile en voyage ». Pour chaque lieu trouve trois choses.

Exemple : un arrêt de bus → un autobus, un ticket, un horaire des bus.

3 Écoute. Fais correspondre chaque scène à une photo.

a. oubli → ...
b. réservation → ...
c. annulation → ...
d. demande de renseignements → ...
e. problème de place → ...

4 Regarde l'horaire des trains. Complète. Utilise les verbes du tableau.

Tarik parle du voyage Strasbourg – Cambo.
Le TGV 9578 part de Strasbourg à ... . Il arrive à ... 10h37.
À Paris, pour aller de la gare de l'Est à la gare Montparnasse, on prend ... .
Le TGV 8525 ... Paris Montparnasse à 12h10. Il ... Bayonne.
À Bayonne, on prend ... . Il part ... 18h11. Il arrive ... Cambo ... 18h39.

5 Lis le texte « Vacances : les destinations préférées des Européens ».

a. Quelles sont les destinations préférées des jeunes ? Pourquoi ?
b. Dans quels pays tu voudrais voyager ? Pourquoi ?

Utile en voyage

• **Les lieux**
une gare (la gare SNCF), un aéroport (national – international), une gare routière, un arrêt de bus, une station de taxi

• **Les billets**
un billet de train, d'avion – un ticket de métro, de bus – acheter un billet, un ticket

• **Réserver, confirmer, annuler**
Je voudrais réserver, confirmer, annuler...
– une place dans le TGV
– sur le vol Air France Paris–Rio de Janeiro du 18 juillet

• **Voyage à l'étranger**
demander un visa – aller à l'ambassade de France, au consulat d'Espagne

• **Partir (de... à...) – arriver (à... de...)**
(voir conjugaison p.136)
L'autobus part de Bayonne à 8h. Il arrive à Cambo à 8h30.

→ Projet
En petit groupe, réalisez et mettez en forme la page accueil du site Internet d'une agence de voyage.

Sandwiches

Des sandwiches pou
Composez votr

Choisissez votre pain

- pain de mie
- pain de campagne
- baguette tradition

Choisisse
viande o

Ajoutez votre sauce

- mayonnaise
- sauce tomate
- moutarde
- vinaigrette

Votre boisson

- carafe d'eau (gratuit
- eau minérale
- eau minérale gazeus
- coca
- soda orange
- jus de fruit
  - orange
  - pomme
  - raisin
- café
- thé

Activités

1. Écoute. Ils commandent leurs sandwiches. Recopie le tableau dans ton cahier et note ce qu'ils prennent.

Clients n°	du ...	de la ...	de l' ...	un ...	une ...	des ...
1.	du poulet			un pain de mie		

2. Compose ton sandwich.

3. Lis le vocabulaire du tableau. Cherche dans le dictionnaire d'autres mots importants pour toi. Pour chaque type d'aliments trouve trois mots.

- sucré → gâteau au chocolat, ...
- salé → ...
- chaud → ...
- froid → ...

4. Tu vas passer un mois dans une famille française. Dans un courriel, cette famille demande :

« Qu'est-ce que tu aimes manger ? Qu'est-ce que tu n'aimes pas ? ». Écris une réponse.

élice
ous les goûts
andwich !

otre
otre poisson

- poulet
- bœuf
- jambon
- saucisson
- bacon
- thon
- saumon

Ajoutez votre accompagnement

- œuf
- salade verte
- tomate
- olives
- champignons
- oignon
- concombre
- cornichon

Nos petits plus

- frites maison
- chips
- biscuits

Vos desserts

- gâteau au chocolat
- tarte au pommes
- salade de fruits
- glaces : - chocolat
              - vanille
              - fraise

POUR PARLER DE NOURRITURE

○ **la viande :** le poulet – le bœuf – l'agneau – le porc (le jambon, la saucisse)

○ **les poissons :** le saumon – le thon – *manger de la viande, du poisson, etc.* – *être végétarien*

○ **les œufs**

○ **les pâtes**

○ **avec la viande ou le poisson :** les pommes de terre (frites, en purée) – le riz – les haricots verts – les carottes – une tomate – un concombre – de la salade verte – des olives – des champignons

○ **les produits laitiers :** le lait – le fromage – un yaourt

○ **les fruits :** une pomme – une banane – une fraise – une orange

○ **les pâtisseries :** un gâteau – une tarte – un biscuit – une glace

○ **les boissons :** l'eau (l'eau minérale) – la limonade – un soda (un Coca, un Fanta...) – la bière – le vin – le jus (d'orange) – le café – le thé – *boire de l'eau, un café, ...*

6 Bon appétit

Nommer les choses

Tu veux **un** sandwich ?

Qu'est-ce qu'il y a dans ce sandwich ?

Il y a **du** poulet, **de la** salade, **des** tranches de tomates et **de la** mayonnaise.

Vous voulez **une** bière, **de l'**eau ?

Pour moi, juste **un** verre d'eau.

D'accord, **une** bière. J'aime **la** bière.

Non merci, je **ne** bois pas d'alcool. Il y a **du** jus de pomme ?

1 Observe l'emploi des articles. Classe-les.

	masculin	féminin	pluriel
On parle de choses différenciées			
On parle de choses indifférenciées			
On parle de personnes ou de choses en général			

Observe les formes négatives.

Les articles

1. Quand les choses sont **indifférenciées**. → articles partitifs *du – de la – de l'*

*Il boit **de l'**eau.*

*Au dessert, il y a **de la** glace.*

2. Quand choses sont **différenciées**. → articles indéfinis *un – une – des*

*Il boit **un** verre d'eau.*

*Elle mange **une** glace.*

N.B. – Après les verbes comme *aimer, adorer, préférer*, on utilise l'article défini à valeur générale.
○ *Vous aimez **le** thé ?*
– *Non, je préfère **le** café.*

Attention à la forme négative :
○ avec les articles indéfinis et partitifs
○ *Vous voulez **du** thé ?* → *non merci, je **ne** veux **pas de** thé.*
○ *Tu connais **un** bon restaurant ?* → *Non, je **ne** connais **pas de bon** restaurant.*

2 Complète.

Avant le repas
○ Tu veux … apéritif ?
– Qu'est-ce que tu as ?
○ … whisky, … Martini ?
– Non merci, pas … alcool !
○ … jus d'orange ?
– Non merci, pas … sucre !
○ J'ai … eau minérale.
– D'accord … verre d'eau minérale.
○ Tu veux … olives, … chips ?
– Je prends … olives, merci.

Après le repas
○ Tu veux … thé ?
– Non merci, je n'aime pas … thé. Je préfère … café.
○ Alors … café ?
– D'accord.
○ Avec … lait ?
– Non merci, sans lait.
○ Avec … sucre ?
– Oui, s'il te plaît, … morceau de sucre.

Exprimer la possession

Où sont **ma** montre, **mon** portable, **mes** lunettes ?

Qui a vu les lunettes de Pierre ?

Pierre cherche **sa** montre. Où est la montre de Pierre ? Où est **son** portable ? Et **ses** lunettes ? À qui est ce sac ?

Voici **tes** lunettes. Maintenant tu peux chercher **ta** montre et **ton** portable.

 1 Observe comment on exprime la possession.

La chose appartient...
○ à moi. → ma, ...
○ à toi. → ...
○ à une personne. → ...
○ à des personnes. → ...

 2 Complète.

Noémie montre des photos à Lucas.

○ Regarde ! Voici ... appartement à Laval, ... rue, ... université.
Ici, c'est la maison de ... parents avec ... jardin et ... voiture.
Voici ... amie Charlotte et ... chien.
– Et lui, qui est-ce ? ... petit ami ?
○ Tu es bien curieux toi !
– Oui, je veux savoir ... nom, ... profession, ... goûts, tout !

3 Complète les réponses avec la construction « à + pronom ».

Rangements dans la maison
○ C'est ton portable ?
– Oui, il est à moi
○ C'est le dictionnaire de Pierre ?
– Oui, ...
○ Les enfants, ce sont vos jeux vidéo ?
– Oui, ...
○ Ce sac est à Marie ?
– Non, il n'est pas ... Il est à Julie.
○ Ce stylo n'est pas à toi, Pierre ?
– Si, ...

Les possessifs

C'est...	à moi	à toi	à lui/à elle
masculin singulier	**mon** sac	**ton** sac	**son** sac
féminin singulier	**ma** photo **mon** amie[1]	**ta** photo **ton** amie[1]	**sa** photo **son** amie[1]
pluriel	**mes** livres	**tes** livres	**ses** livres

C'est...	à nous	à vous	à eux/à elles
masculin singulier	**notre** sac	**votre** sac	**leur** sac
féminin singulier	**notre** photo **notre** amie	**votre** photo **votre** amie	**leur** photo **leur** amie
pluriel	**nos** livres	**vos** livres	**leurs** livres

(1) devant un nom féminin commençant par une voyelle ou « h »

À l'écoute de la grammaire

 1 La prononciation des possessifs : les sons [ɔ] et [ɔ̃].

Photos souvenirs
Mon école... Mon prof de sport...
Mon copain Léon... Son amie Flore...
Ton amie Manon...
Notre sortie à la montagne.

 2 Rythme de la phrase négative.

Régime
Elle ne boit pas de vin
Elle ne mange pas de pain
Elle ne prend pas de riz
Pas de pommes de terre, pas de rôti
Juste un verre d'eau et un gâteau.

Vacances à la montagne

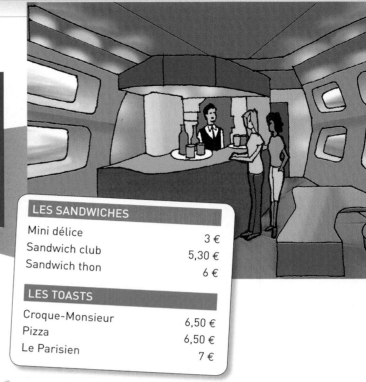

LES SANDWICHES	
Mini délice	3 €
Sandwich club	5,30 €
Sandwich thon	6 €
LES TOASTS	
Croque-Monsieur	6,50 €
Pizza	6,50 €
Le Parisien	7 €

1 Dans la voiture-bar du TGV Paris–Bayonne.

Le serveur : Qu'est-ce que vous prenez ?
Clara : Un sandwich-club.

Transcription ➜ p.140

2 Dans le TGV, les quatre amis retournent à leurs places.

Malik : Excusez-moi, Madame, c'est ma place.
La dame : Votre place ? Vous croyez ? Regardez mon billet : place 66.
Malik : Oui, mais votre place est dans la voiture 5. Ici, c'est la voiture 4.
La dame : Ah, je suis désolée... Et, à côté de vous, c'est libre ?
Malik : Non madame. C'est la place de mon copain. Vous, vous êtes dans la voiture 5.
La dame : D'accord...
Malik : C'est votre valise ?
La dame : Oui, pourquoi ?
Malik : Je vais vous aider.

Activités

 1. Écoute la scène 1. Dis si les phrases sont vraies ou fausses. Corrige-les.
a. Clara, Julie, Malik et Antoine ont pris le train pour aller à Cambo.
b. Clara et Julie commandent le même sandwich.
c. Le mini délice et le sandwich club, c'est pareil.
d. Il n'y a pas d'eau gazeuse au bar.

2. Imagine la suite de la scène. Malik et Antoine commandent au serveur.

3. Jeu de rôles (par deux).
• Par téléphone tu commandes une pizza à Pizza Service.
• Pendant les vacances, tu travailles comme serveur ou serveuse dans un restaurant de ton pays. Un client français demande des explications sur le menu.

4. Écoute la scène 2. Complète l'histoire. Les quatre lycéens reviennent de (du) ... . Mais une dame a pris ... . La place de cette dame est ... . Malik aide ... .

5. Par deux, imaginez la scène de l'arrivée chez les cousins.

6. Écoute la scène 4. Réponds.
a. Les quatre amis s'installent où ?
b. Est-ce que Malik a rangé ses affaires ?
c. Que fait Antoine ?
d. Est-ce qu'il est content ?

3 Les quatre amis arrivent chez les cousins d'Antoine.

Pauline : Bonjour ! Vous avez fait bon voyage ?

...

4 Les garçons s'installent sous la tente.

Antoine : C'est la panique dans cette tente. Ces chaussures, elles sont à qui ?
Nicolas : Pas à moi.
Antoine : Malik, c'est tes chaussures ?
Malik : Oui, et alors ?
Antoine : S'il te plaît, pas dans la tente les chaussures ! Je vais mourir !
Malik : OK, OK...
Antoine : Et ça, c'est ta serviette ? Range tes affaires, s'il te plaît.
Malik : OK, OK... Je range.

PAREIL OU DIFFÉRENT

La quiche et la pizza ce n'est pas **pareil**.
La quiche est **différente** de la pizza.
Le cheeseburger c'est **comme** le hamburger mais avec du fromage.
Marie et moi nous avons commandé **les mêmes** plats.

🔊 PRONONCIATION

1. Le [e] final. Enchaînement (devant une voyelle) ou pas d'enchaînement. Écoute. Observe et répète
Préférences
Moi, j'aime la glace, la glace à la vanille.
Pierre adore les tartes, les tartes aux pommes.
...

2. Le [e] dans un mot. Écoute le rythme du mot et répète.
Sortie
Samedi j'ai appelé Émeline
Nous sommes allés nous promener
Au boulevard Langevin, nous avons mangé
Des côtelettes et des pommes de terre.

Comment mangez-vous ?

Questionnaire sur les habitudes des Français

Le petit déjeuner

- **À quelle heure ?** ...
- **Où ?** – à la maison   – au café
- **Que prenez-vous ?**
  - Du café
  - Du café au lait
  - Du thé
  - Du chocolat
  - Du jus d'orange
  - Des tartines ou des toasts
  - De la confiture
  - Du beurre
  - Des céréales
  - Des croissants
  - Autres ...

Le déjeuner

- **À quelle heure ?** ...
- **Où ?** – À la maison   – Au restaurant
  - Sur le lieu de travail (cantine, restaurant d'entreprise, restaurant universitaire)
- **Que prenez-vous ?**
  - Une entrée
  - Un plat de viande ou de poisson
  - Un autre type de plat
  - Un dessert

Le dîner

- **À quelle heure ?** ...
- **Où ?** – À la maison   – Au restaurant
- **Que prenez-vous ?**
  - Une soupe
  - Une autre entrée
  - Un plat de viande ou de poisson
  - Un autre type de plat
  - Un dessert de pâtisserie
  - Un dessert de fruit

Un dîner en famille

Lycée Benjamin Franklin — Restaurant du lycée
Menu du 24-01-2012

Entrées (une au choix) :
Carottes râpées
Œufs mayonnaise
Salade de tomates

Plat principal (un au choix) :
Poulet rôti
Thon à la provençale
Raviolis

servi avec :
Pommes de terre frites
Riz
Haricots verts

Desserts (un au choix) :
Yaourt
Camembert
Fruits : banane ou pomme
Mousse au chocolat

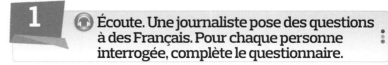

1 Écoute. Une journaliste pose des questions à des Français. Pour chaque personne interrogée, complète le questionnaire.

REPAS : LES HABITUDES DES FRANÇAIS ET DES EUROPÉENS

Beaucoup de Français prennent un petit déjeuner léger : un café noir ou au lait, un jus d'orange avec du pain, du beurre et de la confiture ou des céréales. Dans les familles, on ne prend pas le petit déjeuner ensemble. Dans les pays d'Europe du nord, c'est différent. Le petit déjeuner est un vrai repas. On mange des œufs, du fromage et de la charcuterie. On déjeune entre midi et 13h30. Les lycéens mangent à la cantine du lycée. Quelques-uns achètent un sandwich à la cafétéria ou en ville. Il y a aussi des restaurants dans les universités et les entreprises. Le déjeuner est composé d'une entrée (crudités), d'un plat principal (viande, poisson ou pâtes avec des légumes) et d'un ou deux desserts (fromage, yaourt, fruit, pâtisserie).

En Espagne, on déjeune plus tard.
En France, on prend le repas du soir entre 19h et 20h30. Le dîner est composé comme le déjeuner (entrée, plat, dessert). Dans les familles, on dîne ensemble. On parle, on raconte sa journée.
Il y a toujours du pain sur la table mais les Français mangent moins de pain que dans le passé.
Peu de Français boivent du vin régulièrement.
Dans les pays comme la Grande-Bretagne ou l'Allemagne, on dîne plus tôt et le repas est plus léger. En Espagne, on dîne plus tard qu'en France.

2 **Lis le texte « Repas : les habitudes des Français et des Européens ».**

a. Trouve un exemple
– d'un petit déjeuner en France
– d'un petit déjeuner en Allemagne
– d'un déjeuner en France
– d'un dîner en France
b. Relève et classe les mots de quantité.
Exemple : *beaucoup de …*

Au déjeuner, les jeunes vont souvent manger dans les bars à pâtes, les sushis-bar, les bars à soupes.

3 **Compare les habitudes des Français avec :**

– les habitudes des personnes interrogées (activité 1)
– les habitudes dans les autres pays d'Europe
– les habitudes dans ton pays

4 **Complète le questionnaire pour toi.**

→ Projet
Réalisez en petit groupe le programme d'une fête : choix du lieu, du jour, des invités, menu du buffet, animation musicale, etc.

YAHOO! FORUM QUESTIONS RÉPONSES

| Accueil | Catégories | Mon activité |

| Posez votre question | Continuer | Répondre aux questions |

Questions récentes

Quel est pour vous le meilleur moment de la journée ?

✉ Envoyer à un ami   Question posée par Alfredo
50 réponses

Le meilleur moment c'est quand je rentre du travail, à pied, parce que je n'habite pas loin. Je regarde les gens, les magasins. Je fais quelques courses. C'est toujours un moment très agréable.

✉ Envoyer à un ami   Réponse postée par Mona

C'est quand je me lève le matin. Je prends une douche. Je prends mon premier café. Et là, j'ai plein de projets dans la tête.

✉ Envoyer à un ami   Réponse postée par Marco

C'est quand je rentre du lycée, avant de commencer à faire mes devoirs. Je vais sur ma terrasse et je mange un biscuit ou une tranche de pain avec du chocolat.

✉ Envoyer à un ami   Réponse postée par Éloïse

Activités

1. Lis le document. Imagine qui est chaque participant (Quel est son âge, son activité, etc.). Relève les verbes qui se conjuguent avec deux pronoms.
Exemple : *Je me lève.*

2. Réponds à la question du forum.
Dis quel est ton meilleur moment de la journée. Explique pourquoi.

3. En petits groupes, répondez aux deux autres questions du forum.

4. En petits groupes, imaginez les emplois du temps des personnes qui sont sur les photos.

5. Écris l'emploi du temps de ta journée idéale.

Consultez les autres
forums du même type
→ **Quel est votre moment
de la journée le plus difficile ?**
→ **Quel est votre jour de la
semaine préféré ?**

J'aime les soirées d'été en vacances. Après le dîner,
on va se promener avec les copains et les copines ou
juste avec une copine.

✉ Envoyer à un ami   Réponse postée par Steeve

C'est le soir quand je (me) couche. Dans mon lit, je lis
ou je regarde un film sur mon iPhone.

✉ Envoyer à un ami   Réponse postée par Arno

Mon meilleur moment, c'est quand je (me) réveille
le matin. Mais le plaisir est court parce que tout de
suite après je (me) regarde dans la glace !

✉ Envoyer à un ami   Réponse postée par Loulou

Moi, le meilleur moment, c'est quand quelqu'un me
dit quelque chose de gentil.

✉ Envoyer à un ami   Réponse postée par Anna

LES ACTIVITÉS DE LA JOURNÉE

le matin

se réveiller (*Je me réveille à 7 heures.*)
se lever
se laver – prendre un bain – une douche
s'habiller
prendre son petit déjeuner
se préparer
sortir – aller travailler
déjeuner
se promener

faire des courses
rentrer à la maison
faire ses devoirs
préparer le dîner
s'occuper de ses frères ou de ses sœurs
se reposer
dîner
se coucher
dormir
la nuit

Les verbes du type « se lever »

1 Dans le dessin et le tableau, observe la conjugaison des verbes du type « se lever ». Fais la liste des verbes de ce type que tu connais.

2 Compare le sens des phrases suivantes :

a. Marie réveille Pierre. / Pierre se réveille.
b. Marie appelle Pierre. / Ce jeune homme s'appelle Pierre.
c. Pierre promène son chien. / Pierre se promène.
d. Pierre lave la voiture. / Pierre se lave.

Ce soir, je me couche tôt. Demain, je me lève tôt. Je vais passer un examen.

Tu te réveilles à quelle heure ?

3 Mets les verbes entre parenthèses à la forme qui convient.

Deux femmes parlent de leur emploi du temps.

○ Je suis employée dans un cinéma. Alors je (se coucher) tard.

– Et bien sûr, vous (se lever) tôt.

○ Non, je ne (se lever) pas avant 9 heures !

– Et qui (s'occuper) des enfants ?

○ Mon mari. Mais j'ai de grands enfants. Ils savent (se préparer) tout seuls.

– Mais, alors, avec votre mari, vous (se voir) quand ?

○ Je travaille quatre soirs par semaine. Les autres jours nous (se lever) et nous (se coucher) normalement.

4 Raconte ta journée.

– un jour de semaine
En semaine, je me lève....
– un dimanche comme les autres
Le dimanche...

5 Observe dans le tableau la conjugaison au passé des verbes du type « se lever ». Raconte ta journée de dimanche dernier.

« Je me suis levé(e) à ... »

Les verbes du type « se lever »

se lever	s'habiller
je **me lève**	je **m'habille**
tu **te lèves**	tu **t'habilles**
il/elle **se lève**	il/elle **s'habille**
nous **nous levons**	nous **nous habillons**
vous **vous levez**	vous **vous habillez**
ils/elles **se lèvent**	ils/elles **s'habillent**

○ **Forme négative**
*Je **ne me réveille pas** tôt.*
*Elle **ne se couche pas** avant minuit.*

○ **Question**
À quelle heure est-ce que tu te couches ?
○ **Construction « verbe + verbe »**
Je n'aime pas me lever tôt.
Il ne veut pas se coucher tard.
○ **Au passé composé (construction avec « être »)**
je **me suis réveillé(e)**
tu **t'es réveillé(e)**
il **s'est réveillé**
elle **s'est réveillée**
nous **nous sommes réveillé(e)s**
vous **vous êtes réveillé(e)(s)**
ils **se sont réveillés**
elles **se sont réveillées**

Donner des instructions, des conseils

> Robin,
> Tu dois te lever !
> Tu dois te préparer !

> Préparons-nous à partir.

> N'oublie pas ta montre !
> Dépêche-toi !
> Ne t'endors pas !

> Ne vous occupez pas de moi !

1 Observe les différentes façons de donner des ordres. Transforme à l'impératif.

a. Tu dois te lever. → Lève-toi !
b. Tu dois te préparer. → …
c. Nous devons nous réveiller à 7h. → …
d. Vous ne devez pas vous coucher tard. → …
e. Nous ne devons pas oublier nos affaires. → …

2 Donne-leur des conseils. Utilise les verbes indiqués.

a. Aux joueurs du match de football de demain.
se coucher tôt – bien manger – ne pas se fatiguer – se détendre
Exemple : *Ce soir couchez-vous tôt !*
b. Pierre a un rendez-vous aujourd'hui, à 8h.
se réveiller – se lever – s'habiller – se dépêcher – ne pas oublier son dossier
c. Après 3 heures de promenade dans la ville.
s'arrêter dans le parc – s'asseoir – se reposer – manger un sandwich

3 Rédige des demandes à ton professeur, à tes parents ou à ton ami(e).

Exemple : → *Au professeur : Ne parlez pas trop vite !*

L'impératif

manger	
mange	ne mange pas
mangeons	ne mangeons pas
mangez	ne mangez pas
sortir	
sors	ne sors pas
sortons	ne sortons pas
sortez	ne sortez pas
se lever	
lève-toi	ne te lève pas
levons-nous	ne nous levons pas
levez-vous	ne vous levez pas

À l'écoute de la grammaire

1 Distingue la conjugaison pronominale.

conjugaison de type « lever »	conjugaison de type « se lever »
a. Paul lave sa voiture	…
b. …	…

2 Rythme des phrases impératives. Transforme comme dans l'exemple et répète la réponse.

Exemple : Tu dois te réveiller. → Réveille-toi !
a. Tu ne dois pas dormir. → Ne …
…

Vacances à la montagne

1 La nuit, sous la tente.

Antoine : Tu te lèves ?
Malik : Oui, je ne peux pas dormir. Écoute !
Antoine : Qu'est-ce qu'il y a ?
Malik : J'entends quelque chose.
Antoine : Moi, je n'entends rien.
Malik : Mais si ! Écoute bien ! Il y a un bruit bizarre. C'est peut-être un ours !
Antoine : Un ours ? Il n'y a pas d'ours dans les Pyrénées.
Malik : Si, il y a des ours. J'ai vu ça à la télé...
Antoine : C'est peut-être le père de Nicolas.
Malik : Je vais voir.
...
Antoine : Alors ? Il y a quelqu'un ?
Malik : Non, il n'y a personne.

Activités

1. Écoute la scène 1. Dis si les phrases suivantes sont vraies ou fausses. Corrige-les.
a. Les trois garçons passent la nuit sous la tente.
b. Malik s'est réveillé parce qu'il a entendu un bruit bizarre.
c. Malik a peur.
d. Antoine a peur aussi.

2. Par deux, jouez la scène.
C'est le soir. Vous êtes chez vous avec un copain et une copine. Vous travaillez. Vous êtes seuls dans la maison. Vous entendez un bruit bizarre dans le couloir.

PERSONNES ET CHOSES INDÉFINIES

○ **quelqu'un – personne**
Tu attends **quelqu'un** ? → Non, je n'attends **personne**.
Quelqu'un a appelé ? → Non, **personne** n'a appelé.

○ **quelque chose – rien**
Tu fais **quelque chose** ce soir ? → Non, je ne fais **rien**.
Quelque chose t'intéresse ? → Non, **rien** ne m'intéresse.

2 Le matin. ⋮

Nicolas : Allez, debout ! Il faut se lever !
Malik : Mais pourquoi ? Il est neuf heures !
Nicolas : Aujourd'hui, on va à la fête de Bayonne.
Malik : Et on doit partir maintenant ?
Nicolas : Non, mais vous devez vous lever, vous laver, vous préparer. Ici, il y a juste une salle de bain. Alors, dépêchez-vous !
Antoine : D'accord, on se lève.
Nicolas : Et mettez un tee-shirt blanc.
Malik : Pourquoi ?
Nicolas : À Bayonne, pour la fête, on s'habille en blanc. On met un béret rouge et un foulard rouge.
Malik : On doit mettre un foulard et un béret ?
Nicolas : Je m'occupe de ça.

3 À la fête de Bayonne. ⋮

Le vendeur : Tee-shirts, foulards, bérets ! Tout pour la fête et c'est pas cher !
Pauline : C'est combien le béret ?
Le vendeur : Six euros.
Pauline : Et le foulard ?
Le vendeur : Quatre euros.
Pauline : On voudrait quatre bérets et quatre foulards. Vous pouvez faire une petite réduction ?
Le vendeur : Non, mais j'offre le foulard aux demoiselles.

Transcription → p. 141

🎧 **3.** Écoute la scène 2. Complète l'histoire.
– Il est ... du matin. Nicolas réveille ... pour... .
– Malik et Antoine doivent se dépêcher parce que ... .
– Ils doivent ... parce que ... .

🎧 **4.** Écoute la scène 3. Réponds.
a. Combien coûte un béret ?
b. Quel est le prix d'un foulard ?
c. Le vendeur fait une réduction ?
d. Le vendeur fait un cadeau ?

5. Par deux, jouez la scène.
Vous achetez un cadeau pour quelqu'un de votre classe. Vous posez des questions à la vendeuse ou au vendeur.

🎧 **PRONONCIATION**
Rythme et intonation dans la conjugaison pronominale
Décalage horaire
Je me lève tôt. Tu te lèves tard.
Je me couche tôt. Tu te couches tard.
Quand je me dépêche, tu prends ton temps
Quand tu te reposes, je fais du sport.
Mais on s'adore, on se comprend.
Nous nous appelons régulièrement
Pour nous dire nos emplois du temps.

Paris pas cher

La fête de la musique

Musique

Il y a beaucoup de concerts gratuits à Paris. Pour connaître les dates et les programmes regardez l'Officiel des Spectacles. Et le jour de la fête de la musique promenez-vous dans les rues. On peut entendre de la très bonne musique !

Cinéma

Le lundi, dans toute la France, les cinémas proposent des tarifs réduits. N'oubliez pas la fête du cinéma (trois jours en mai ou en juin). Vous achetez un billet au tarif normal et vous pouvez voir tous les autres films pour 1 €.

Musées

Tous les musées sont gratuits le premier dimanche de chaque mois. Quelques musées sont gratuits tous les jours comme le Petit Palais (musée des beaux arts de la ville de Paris).

Sport

On peut faire de la gym, du football, du basket, du ping-pong, du vélo, sans payer un centime. Voir le programme sur le site de la ville de Paris (rubrique Paris Jeunes).

Shopping

Sur le site « bonplangratos.fr » vous pouvez trouver de bonnes adresses pour acheter des vêtements pas chers.

Quelques adresses :
- Kookaï Stock, 82 rue de Réaumur, 2e (M° Réaumur-Sébastopol). Jusqu'à 70 % de réduction.
- Magenta Chaussures, 185 boulevard de Magenta, 10e (M° Barbès Rochechouart). Des réductions sur les grandes marques de chaussures.
- Abercrombie et Fich, sur les Champs-Elysées. Des réductions mais ce n'est pas donné.

Journaux

À Paris et dans les grandes villes on trouve des journaux gratuits : « 20 Minutes », « Métro », etc.

Quand il faut payer

1

Lis le texte « Paris pas cher ». Un ami de ton pays te pose des questions sur les plans pas chers en France et à Paris. Réponds et précise.

a. Est–ce que c'est vrai qu'en France…
- …on ne paie pas l'entrée des musées ?
- …pour la fête du cinéma l'entrée des salles est à 1 € ?
- …sur la Place de la Concorde, à Paris, il y a des concerts gratuits ?
- …on peut trouver des piscines gratuites ?

b. Comment faire à Paris pour…
- …trouver des vêtements pas chers ?
- …trouver des activités gratuites ?

→ **Projet**
En petits groupes, réalisez un document inspiré de « Paris pas cher » pour des touristes français qui viennent dans votre ville.

2

Observe les photos et écoute les phrases.

a. Associe chaque phrase à une photo.
b. Imagine et écris le dialogue de chaque situation.

3

**Écoute les scènes complètes.
Compare avec tes productions.**

4

Écoute et trouve la situation.

a. À l'entrée d'un cinéma.
b. Un vendeur de téléphone portable.
c. Au bureau de change.
d. À l'entrée d'un musée.
e. À la gare.

Pour acheter, pour payer

- **Demander / dire un prix**
Quel est le prix de ce téléphone portable ? → 50 euros
Combien coûte ce livre ? Combien il coûte ? → Il coûte 15 € 30 (quinze euros trente).
Combien ça fait ? → Ça fait 15 € 30.
Au café, au restaurant : L'addition s'il vous plaît. / Je vous dois combien ?

- **Demander une réduction**
Vous faites une réduction pour les étudiants ?

- **Payer**
un billet de 20 € – une pièce de 1 € – avoir la monnaie (*Vous avez la monnaie de 50 € ?*) – payer par chèque, par carte bancaire – faire son numéro de code

- **Changer**
Je voudrais changer 200 dollars en euros.

DOMUS Immobilier ➤ ## Trouvez votre logement idéal

À LOUER

Dans un quartier animé du centre ville, au troisième et dernier étage d'un bel immeuble moderne, petit appartement avec salon, coin cuisine et une chambre. Ensoleillé. Belle vue. Parking.

Dans la vieille ville, à côté de la cathédrale, sur une place ensoleillée, dans un immeuble du XVIIIe siècle, grand appartement avec cuisine, salon, 4 belles chambres, 2 salles de bain, 2 toilettes.
Idéal pour colocation ou grande famille.

À la sortie d'un petit village, au bord d'une rivière, au milieu d'un grand jardin, grande maison ancienne. Grande cuisine/salle à manger, salon, 5 chambres et dépendances.
Bus et commerces

À 15 minutes du centre, à côté du parc Coubertin, belle maison avec grand jardin et piscine. Grande cuisine, beau salon, 3 chambres, garage et salle de jeux. Soleil. Calme. Bus et commerces

Activités

1. Lis les annonces de logement à louer. Recopie le tableau sur ton cahier et complète.

	1	2	3	4
Type de logement				
Situation				
Pièces				
Avantages				
Inconvénients				

🎧 **2. Écoute l'agent immobilier. Elle présente une « villa du parc » à des clients. Indique le nom des pièces sur le plan.**

3. Par groupe de trois, vous décidez de louer un logement. Choisissez l'annonce qui vous convient.

4. Utilise le vocabulaire pour parler d'un logement : prépare une description de ton logement idéal.

Décris :
– la situation : en ville (précise le type de ville, le quartier), à la campagne, à l'étranger ;
– le type de logement (trouve une photo ou fait un dessin) ;
– les pièces (fais un plan avec des indications) ;
– les autres caractéristiques.

Présente ce logement à la classe.

NOS CURIOSITÉS

RÉSERVEZ VOTRE MAISON AUX « VILLAS DU PARC »

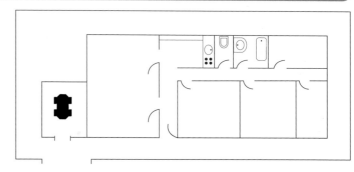

POUR PARLER D'UN LOGEMENT

les logements

un appartement (un studio, un deux-pièces) –
une maison – une villa – un immeuble de trois étages –
le rez-de-chaussée – le premier étage – le deuxième
étage – un ascenseur

les pièces

une cuisine – une salle à manger – un salon – une
chambre – une salle de bain – des toilettes – une entrée –
un couloir – un garage – une cave

les caractéristiques

un appartement ancien / moderne / neuf – ensoleillé –
calme – confortable

louer – acheter – vendre

Il loue un deux-pièces à Lyon 400 € par mois.
Cet appartement est à vendre.
Elle voudrait acheter une petite maison avec un jardin.

Situer

> Pour avoir le formulaire 2042 bis, il faut aller aux services techniques.
> L'immeuble des services techniques est **sur** la place Marie Curie, **en face** du lycée Victor Hugo, **entre** un cinéma et la bibliothèque. **À côté** du cinéma, il y a une pizzéria. **Devant**, il y a un kiosque à journaux. **Au milieu** de la place, il y a une statue.

MAIRIE DE VILLENEUVE ACCUEIL

1 Observe le dessin ci-dessus.
Trouve le sens des mots en gras.
Lis le tableau.

2 Marie décrit le lieu où elle va passer ses vacances. Dessine le plan de ce lieu.

Pour les prochaines vacances mes parents ont loué une maison à la montagne.
Devant la maison, il y a un lac.
Au bord du lac, il y a une petite plage.
Derrière la maison, il y a un grand jardin.
Au milieu du jardin, il y a un grand arbre.
La route passe derrière le jardin.
À côté de la maison, à gauche, il y a la piscine municipale.
À droite, il y a le camping.

Pour situer

○ **Situations**

A est devant B
C est derrière B
B est entre A et C
D est à côté de C

A est sur la table
D est sous la table
C est au bord de la table
B est au milieu de la table

A est en haut – B est en bas

B est ici – C est là – D est là-bas

○ **Directions**

↑ tout droit   ↕ en avant
↰ à gauche   ↕ en arrière
↱ à droite

nord
ouest ✦ est
sud

○ **Ordre**

Ⓐ Ⓑ Ⓒ Ⓓ Ⓔ

A est premier – B est deuxième – C est troisième – D est quatrième – E est dernier.

3 Utilise le vocabulaire du tableau pour situer :

○ **ton lycée ou ton université**
Mon lycée est dans la rue... à côté de... en face de...
○ **ton logement**
...

Décrire un trajet

> Vous allez trouver le formulaire 2042 bis au bureau 372. Prenez l'ascenseur. Quand vous sortez de l'ascenseur tournez à droite. Continuez jusqu'à la cafétéria. Traversez la cafétéria. Prenez le couloir à gauche. Faites vingt mètres. Le bureau 372, c'est la troisième porte à droite.

> J'ai le formulaire 2042 bis. Je suis parti ce matin à 8h. Je suis arrivé à 9h. J'ai attendu trois heures. À midi, je suis allé déjeuner. Je suis revenu à 14h. Je suis resté deux heures à attendre. Je suis sorti à 17h. Je suis rentré à la maison à 18h !

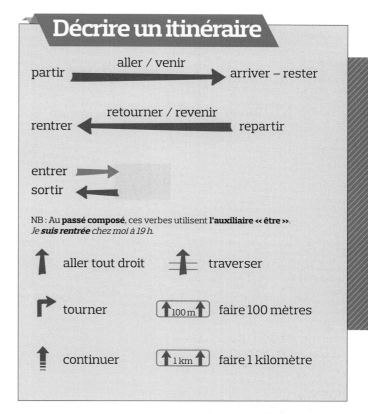
 1 Observe le dessin en bas de la page 82, à gauche, et lis le texte de la bulle. Dessine le plan pour aller de l'accueil jusqu'au bureau 372.

 2 Observe le dessin de la page 82, à droite, et lis le texte de la bulle. Note l'emploi du temps du personnage.

8h : départ pour la mairie
9h : ...

 3 Complète avec les verbes « aller » ou « venir ».

○ Aux vacances de février, je ... dans les Alpes faire du ski. Tu veux ... avec moi ?
– Je ne peux pas. Je ... en Grèce avec Marie. Mais, l'été prochain, je voudrais ... chez toi, dans ta maison de campagne. Tu es d'accord ?
○ Bien sûr. Tu ... quand ? En juillet ou en août ?

 4 Complète avec un verbe du tableau.

La directrice d'une boutique de vêtements à Marseille parle de son programme.

○ Lundi, à 7 h, je ... pour Paris en avion. J' ... dans le centre de Paris à 9 h. J'ai une réunion à 10 h. Je ... à Marseille dans l'après midi et, le soir, je ... pour New York.
– Tu ... quand à Marseille ?
○ Le 14.
– Et après, tu restes à Marseille ?
○ Non, je ... à New York à la fin du mois.

 5 🔊 Écoute. Antoine est à la gare. Il appelle Marie. Elle explique à Antoine comment aller chez elle. Dessine l'itinéraire et les indications de lieux.

Décrire un itinéraire

partir ——— aller / venir ———> arriver – rester

rentrer <——— retourner / revenir ——— repartir

entrer ——>
sortir <——

NB : Au **passé composé**, ces verbes utilisent **l'auxiliaire « être »**.
Je **suis rentrée** chez moi à 19 h.

↑ aller tout droit   ⬆ traverser

↱ tourner   [↑100 m↑] faire 100 mètres

↑ continuer   [↑1 km↑] faire 1 kilomètre

À l'écoute de la grammaire

1 🔊 Distingue [s] et [z].

Ce soir à la maison,
Nous avons des amis.
Nous savons qu'ils arrivent à dix heures.
Ils ont faim. Ils sont fatigués.
Vous avez une montre ?
Vous savez quelle heure il est ?

2 🔊 Recopie le tableau et note l'adjectif masculin ou féminin.

finales	masculin	féminin
[t]		
[l]		
[k]		
[e] → [ɛʀ]		

Vacances à la montagne

1 Les six amis reviennent d'une randonnée dans la montagne.

Pauline : Il faut prendre à droite !
Nicolas : À gauche, le chemin est plus large.
Pauline : Mais il va vers l'est. Nous, on doit aller vers l'ouest !
Nicolas : À droite, on retourne dans la forêt.
Pauline : Oui, mais le parking est par là.
Julie : C'est encore loin ?
Clara : On ne sait pas.
Malik : On est perdus.
Julie : Sérieux ? Parce que moi, je suis fatiguée, j'ai chaud, j'ai soif, j'ai faim ! Je veux rentrer.

Activités

1. Écoute la scène 1. Dis si les phrases suivantes sont vraies ou fausses. Corrige-les.
a. Les jeunes ne savent pas quel chemin il faut prendre.
b. Pauline et Nicolas sont d'accord.
c. Le parking est du côté est.
d. Les six amis sont loin du parking.
e. Julie n'est pas en forme.

2. Par deux, jouez la scène. Vous êtes invité(e)s chez un(e) ami(e). Il/Elle habite dans un quartier que vous ne connaissez pas. Vous ne trouvez pas l'adresse. Vous n'êtes pas d'accord sur la direction à prendre.

3. Écoute les scènes 2 et 3. Recopie le tableau dans ton cahier et complète.

	Le père de Nicolas et de Pauline	Leur mère
Quel travail il/elle doit faire ?		
Est-ce que c'est facile ?		
Pourquoi ?		
Que demandent-ils ?		
À qui ?		

4. Par deux, cherchez une situation où il faut demander de l'aide. Préparez et jouez la scène.

2 | Le lendemain… ⋮

Le père : Pas de randonnée aujourd'hui ?
Antoine : Non, on se repose. Pourquoi ?
Le père : Il faut mettre le bois dans le garage. J'ai besoin d'aide.
Antoine : Tout ce bois ?
Le père : Ben oui. Les hivers sont longs, ici.
Malik : Et tout ça aujourd'hui ?
Le père : Eh oui, parce que demain j'ai encore besoin de vous !
Malik : Pour quoi faire ?
Le père : Il faut installer les panneaux solaires.

3 | Au même moment… ⋮

La mère : Vous aimez les prunes ?

Transcription → p.141

4 | Le soir, dans la chambre des filles. ⋮

Julie : Tu veux savoir ? Je suis morte !
Clara : Moi aussi. C'est pas des vacances. On se lève tôt. On travaille toute la journée. Le soir, on est fatiguées…
Julie : Il faut partir !
Clara : Je suis d'accord. Mais il faut trouver une excuse.
Julie : Tu as une idée ?
Clara : Non !
Julie : On demande aux garçons ?

5. Par deux, continuez le dialogue ou imaginez la fin de l'histoire.

EXPRIMER UN BESOIN

○ **Il faut**
Pour rentrer au village, il faut prendre le chemin à droite.
Demain, il faut se lever à 8h.

○ **Devoir**
Nous devons prendre le car à 10h.

○ **Avoir besoin de**
Nous avons besoin de dormir.
Il faut se coucher tôt.

🔊 PRONONCIATION

1. Différencie [a] et [ã]
Tanguy
Ah, entre, Valérie !
Tu es en avance.
Voici mon appartement,
Ma salle à manger,
Ma chambre et mon chat.
Ma maman est au restaurant,
Nous allons boire à sa santé !

2. Prononce [ʒ]
Association d'idées
Bouger … voyager … étranger …
Argentine … argent … jouer …
Partager … projet … génial !

Cartes postales

Trois-Rivières, 15/07/2011

Salut Cyril,

Je passe de super vacances au Québec chez des amis de mes
parents. Ils ont une maison au bord d'un lac, au milieu de
la forêt. Il fait très beau.
Nous allons à la pêche et nous faisons des randos en quad.
J'ai vu des ours et des orignaux.
La semaine dernière, nous sommes allés visiter la vieille
ville de Québec. C'est la saison du festival de musique.
Le soir je suis allé au concert de Metallica. Génial !
Demain, je vais aller à une soirée chez des voisins, des jeunes
très sympas.
Un seul problème : ici, il n'y a pas de réseau. Alors, pas
de téléphone et pas d'Internet.
J'espère que tu passes de bonnes vacances.
Nous rentrons le 10 août.

Ciao
Vincent

Cyril RIGAUD

24 boulevard Gambetta

38000 GRENOBLE

L'Étang Salé, le 12 août

Bonjour Clémentine,

Un petit bonjour de l'île de la Réunion où je passe tout le mois
d'août. Avec une copine et deux copains, nous avons loué une
voiture et nous faisons du camping. Ici, c'est l'hiver mais il fait
assez chaud et il ne pleut pas.
Il y a de très belles plages. Nous avons fait de la plongée et hier
j'ai vu mon premier requin.
Je fais aussi du surf et j'ai commencé le kite surf.
Demain nous allons quitter le bord de l'océan pour visiter
l'intérieur de l'île. Il y a des petits villages sympas. J'aime bien les
gens d'ici. Ils sont gentils et accueillants et la cuisine réunionnaise
est très bonne. Nous allons aussi faire quelques randonnées dans
les montagnes et voir le Piton de la Fournaise (2600 m).
À mon retour je t'appelle et je te raconte tout.

Bises
Marion

Clémentine DUMAS

30 rue Saint-Pierre

13005 Marseille

1 La classe se partage la lecture des deux cartes postales. Recopiez le tableau et complétez-le en fonction de la carte que vous avez choisie. Échangez vos informations.

Dans les cartes postales est-ce que tu trouves des informations sur...	Oui	Non	Quelles informations ?
a. le lieu de vacances de Vincent et de Marion ?	❑	❑	
b. ce qu'on peut voir dans ce lieu ?	❑	❑	
c. les gens ?	❑	❑	
d. le temps ?	❑	❑	
e. ce que Vincent et Marion font ?	❑	❑	
f. ce qu'ils ont fait ?	❑	❑	
g. ce qu'ils vont faire ?	❑	❑	
h. la date de leur retour ?	❑	❑	

2 Lis la météo du 1er janvier. Retrouve les informations sur la carte.

Météo pour la journée du 1er janvier

Temps froid sur la moitié est du pays mais le soleil va être présent du Nord au Sud. Il va faire 2° à Paris, 3° à Lille, – 3° à Strasbourg, – 4° à Grenoble et 3° à Marseille et au bord de la Méditerranée, où il va faire beaucoup de vent.

Sur la moitié ouest, il va faire moins froid mais les nuages vont arriver de l'océan dans la nuit. Il va pleuvoir toute la journée de la Bretagne jusqu'aux régions du Sud-Ouest avec de la neige dans les Pyrénées. On attend 6° à Nantes, 5° à Bordeaux et 8° à Toulouse.

Dans le centre de la France, du soleil avec quelques nuages.

3 🎧 Écoute la météo du 1er juillet. Dessine la carte météo de ce jour-là.

4 Écris une carte postale de vacances pour un(e) ami(e) français(e). Donne les mêmes types d'informations que dans l'exercice 1.

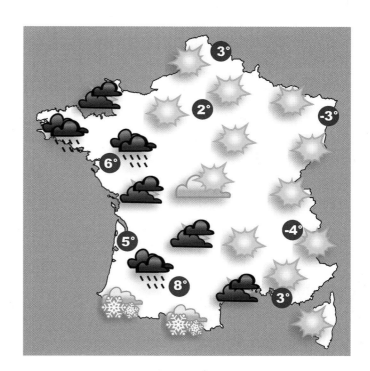

Pour parler du temps

● **les saisons**
le printemps – l'été – l'automne – l'hiver

● **le beau temps**
Il fait beau – Il fait chaud – Il fait bon

● **le mauvais temps**
la pluie – Il pleut (Hier, il a plu – Demain, il va pleuvoir) – la neige – Il neige (Hier, il a neigé – Demain, il va neiger) – Il y a de la glace – Il y a du vent

→ **Projet**
Réalise un diaporama pour présenter une ville, une région ou un pays que tu aimes.

Je me débrouille

1 Tu comprends des informations au cours d'un voyage.

🎧 Écoute ces informations. Indique le lieu où on peut les entendre.

a. À la gare : ...
b. Dans un train : ...
c. À l'aéroport : ...
d. Dans un avion : ...
e. Dans le métro : ...

f. Dans un musée : ...
g. Dans un autobus : ...
h. Dans un restaurant : ...
i. Dans un magasin : ...
j. À la radio : ...

2 Tu comprends le nom de quelques plats et boissons.

Dans le menu suivant trouve des mots pour chaque catégorie.

a. Viandes : ...
b. Charcuteries : ...
c. Légumes : ...

d. Fruits : ...
e. Pâtisseries : ...
f. Boissons : ...

RESTAURANT **L'Assiette**

~ Entrées ~
Saucisson de pays'
Salade verte et tomates
Concombre au yaourt
Tarte aux poireaux
Melon et jambon

Menu complet	15 €
Une entrée + un plat	10 €
Un plat + un dessert	10 €
Boisson non comprise

~ Plat principal ~
Poulet aux champignons
Côte de porc
Rôti de bœuf
Saumon de Norvège

~ Accompagnement ~
Haricots verts
Purée de pommes de terre
Riz basmati

~ Pour finir ~
Fromage blanc
Mousse au chocolat
Tarte aux fraises
Crème caramel

~ Boissons ~
Eaux minérales
Vins blanc, rosé, rouge
Bières

3 Tu sais faire un achat.

Noémie achète un dictionnaire dans une librairie. Utilise les phrases ci-dessous pour écrire le dialogue.

a. « Bonjour. Je voudrais un dictionnaire français/anglais. »
b. « Le Robert est plus cher. Il est meilleur ? »
c. « Je vais prendre le Robert. Vous faites une réduction aux étudiants ? »
d. « Nous avons le Larousse et le Robert. »
e. « Le Larousse 30 €, Le Robert 36 € ».

f. « Je ne sais pas. C'est à vous de voir. »
g. « Combien ils coûtent ? »
h. « Et voici votre monnaie. »
i. « Oui. »
j. « Alors ça fait 28,50 .... »
k. « Voici un billet de 50. »
l. « 5 %. Vous avez une carte d'étudiant ? »

Samedi 14 juillet

8 –
9 –
10 –
11 –
12 –
13 –
14 –
15 –
16 –
17 –
18 –
19 –
20 –
21 –
22 –
23 –
24 –

4 Tu comprends un emploi du temps.

🎧 Écoute. Pour le 14 juillet les étudiants étrangers d'une école de langue de Perpignan font une excursion à Carcassonne. Note le programme de la journée sur ton cahier.

5 Tu sais utiliser les articles, les démonstratifs et les possessifs.

Complète avec un article, un adjectif démonstratif ou un adjectif possessif.

Antoine montre sa maison à un copain

○ Ici, c'est le salon. Là, c'est la chambre de mes parents et ici, c'est ... chambre avec ... bureau.

– Tu as ... ordinateur pour toi tout seul ?

○ Non, il est pour ... sœur et pour moi. C'est ... ordinateur.

– Et ... photos, c'est qui ? Je ne connais pas ... fille.

○ C'est ... copine de vacances. On a fait ... ski ensemble.

– Elle est super !

○ Tu veux boire quelque chose ? J'ai ... coca et ... eau minérale gazeuse.

– Je veux bien ... verre d'eau minérale. Merci.

6 Tu comprends un itinéraire.

 Observe ci-dessous le plan d'un quartier de Paris.

Tu es en vacances à Paris et tu loges à l'hôtel Rivoli, au 44 rue de Rivoli. Une amie t'attend place Saint-Michel. Elle explique comment aller de ton hôtel à la place Saint-Michel. Note l'itinéraire sur le plan.

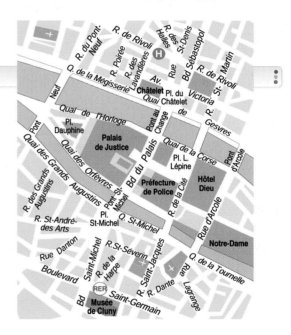

7 Tu comprends des informations sur un lieu de voyage.

Dans le document ci-contre, trouve les informations qui peuvent intéresser les touristes suivants :

a. Je veux faire du sport.

b. Je m'intéresse à l'histoire.

c. Les monuments ne m'intéressent pas.

d. Je suis un passionné d'art.

e. Je veux faire de bons petits repas.

f. Je veux parler français avec les gens.

Carrefour de l'Europe, la Belgique a toujours été le lieu de rencontre des gens et des cultures. Elle propose aux touristes des paysages variés et des découvertes historiques, culturelles et artistiques.

Au Nord, ce sont les Flandres où on parle flamand. « Le plat pays » cher à Jacques Brel et le charme des bords de mer invitent à de tranquilles promenades à vélo.

Au Sud, c'est la Wallonie francophone, les petits villages, les vieilles abbayes et la forêt des Ardennes idéale pour les randonnées et le kayak.

Et partout, des villes d'art et d'histoire : Bruxelles, Bruges, Gand, Liège... avec leurs places, leurs belles maisons du XVIe siècle, leurs églises et leurs riches musées où l'on peut admirer les tableaux de Breughel et de Rubens.

Enfin, la Belgique est aussi célèbre pour son art de vivre, l'accueil de ses habitants, sa bonne cuisine et ses excellentes bières.

JE ME FAIS DES AMIS

Dans cette unité, je vais apprendre à...

- m'informer sur les personnes et les événements.
- sympathiser avec les autres.
- me conformer aux habitudes sociales.
- faire face à des situations difficiles.

Leçon 9 Souvenez–vous !

- évoquer des souvenirs
- raconter des événements
- parler de sa famille et de ses relations amicales

« Depuis quand ils se connaissent ? »

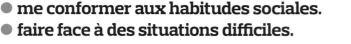

« Je me souviens. Ils se sont rencontrés chez moi... »

Leçon 10   On s'appelle ?

- parler des moyens de communication
- exprimer une opinion
- demander quelque chose – remercier
- exprimer un souhait
- féliciter quelqu'un
- s'excuser

« Félicitations ! »

« Je vous remercie. »

Leçon 11   J'ai un problème.

- exposer un problème personnel
- demander ou donner un conseil
- se débrouiller en cas de problème de santé
- s'informer sur les études et la scolarité

« Quel est ton problème ? »

« Où avez-vous mal ? »

Leçon 12   Parle-moi de toi !

- entrer en contact avec quelqu'un
- demander / donner une explication
- décrire une personne
- décrire des vêtements

« Tu as vu la robe de Marion ? »

« Lucile, c'est la grande brune aux cheveux courts. »

L'ALBUM DES SOUVENIRS

A

Mon plus vieux souvenir d'enfant
J'avais trois ou quatre ans. Le samedi, j'allais dormir chez mes grands-parents. Sur le buffet de la cuisine, il y avait un bol avec des bonbons. Quand j'entrais, j'allais directement à la cuisine et je prenais deux ou trois bonbons. Puis, quand j'étais dans mon lit, ma grand-mère me lisait des histoires.

Mon meilleur souvenir d'école
À l'école primaire, pendant la récréation, nous jouions au football. Les filles venaient jouer avec nous. On mettait quatre filles dans les buts.

Mon meilleur prof
Je me souviens de madame Gauthier, au CP. Elle était gentille mais il n'y avait pas de bruit dans la classe. On apprenait à lire avec le livre Super Gafi. J'adorais ce livre. On chantait. On préparait de petits spectacles pour Noël et la fête des mères.

B

Activités

1. En petits groupes, lisez l'album des souvenirs.
a. Trouvez les souvenirs correspondant aux photos.
b. Notez ce que vous apprenez sur le propriétaire de l'album.
– l'époque de sa naissance
– ses études
– ses goûts et ses intérêts

2. Trouve les verbes et leur infinitif.

3. a. Classe ces verbes selon leur temps.

Verbes à l'imparfait	Verbes au passé composé
J'avais (avoir)	...

b. Retrouve la conjugaison de l'imparfait.

4. Rédige quelques souvenirs (travail individuel).
a. Choisis deux ou trois souvenirs : souvenirs d'école, de vacances, de moments passés en famille ; souvenirs de ton premier livre, de ta chanson préférée, de ton premier ordinateur, etc.
b. Rédige chaque souvenir en quelques lignes.

Mon premier voyage

J'avais douze ans. Avec ma classe, on est parti en Angleterre. On logeait dans une famille. Ils étaient sympas. Le soir, on jouait à des jeux de société.

Mon émission de télé préférée quand j'étais enfant

Je me rappelle « les Razmokets ». C'était une bande de bébés. Ils n'arrêtaient pas de faire des bêtises.

Mon premier portable

J'avais quinze ans. Tous mes copains avaient un portable. Moi pas ! J'étais très malheureux. Mais, à Noël, mes parents m'ont offert un iPhone. C'était super ! J'avais la Rolls des portables !

Ma première console

C'était une Game Boy noire avec les jeux Super Mario et Tarzan... Je jouais du matin au soir.

---

5. Lis le tableau « Les moments de la vie ». Écoute. À quel moment de la vie ces phrases sont-elles prononcées ?

6. Réalisez l'album des souvenirs de votre classe.
a. Chaque élève lit ses souvenirs à la classe.
b. Ensemble, choisissez les meilleurs souvenirs pour réaliser l'album du groupe. Vous pouvez ajouter quelques photos.

LES MOMENTS DE LA VIE

○ un enfant – un bébé – un enfant de 8 ans
la naissance – naître
Claudia est née en 2000. Elle a ... ans.

○ un adolescent (à partir de 13 ou 14 ans)

○ un adulte – un homme (un monsieur) – une femme (une dame)
un jeune – un jeune homme –

une jeune fille
une personne âgée (homme ou femme) – les seniors

○ la mort – mourir
Il est mort en 1944.

○ les souvenirs – se souvenir de – se rappeler
*Je **me souviens de** mon premier professeur de français.*
*Je **me rappelle** son nom.*

Parler des souvenirs et des habitudes

> À vingt ans, j'étais étudiant. Mais je n'étudiais pas beaucoup. J'avais beaucoup de copains. Ils aimaient faire la fête. On se couchait à cinq heures du matin. Nous n'allions pas souvent en cours.

> Où tu étais à vingt ans ? Qu'est-ce que tu faisais ?

 1 **Que font les personnages ci-dessus ? Choisis les bonnes réponses.**

– Ils racontent des histoires.
– Ils parlent de leurs souvenirs.
– Ils font des projets.
– Ils parlent de leur jeunesse.

 2 **Relève les verbes. Trouve leur infinitif. Observe les terminaisons. Trouve la conjugaison du verbe « parler » à l'imparfait.**

 3 **Lis le tableau. Observe comment on forme l'imparfait. Mets les verbes suivants à l'imparfait.**

– parler : je ...
– connaître : elle ...
– lire : tu ...

– regarder : vous ...
– habiter : nous ...
– venir : je ...

 4 **Mets les verbes entre parenthèses à l'imparfait.**

Un adolescent interroge son grand-père
○ Tu **(habiter)** où quand tu **(être)** jeune ?
– À Paris. J'**(avoir)** une chambre dans le Quartier latin. J'**(étudier)** à l'École de médecine. C'**(être)** une belle époque. Le soir, nous **(danser)** au cabaret de la Huchette. L'après midi on **(aller)** dans les cafés.
○ Vous **(rencontrer)** des gens célèbres ?
– Oui, j'ai vu Alain Delon deux ou trois fois.

L'imparfait

L'imparfait est utilisé pour parler des **souvenirs** et des **habitudes passées**.
Il est aussi utilisé **avec le passé composé** quand on raconte **une histoire**.
Il est formé à partir de la personne « nous » du présent.
Exemple : *aller* → nous **all**ons (présent)
→ j'**all**ais, tu **all**ais, il (elle) **all**ait ... (imparfait)

Aimer
J'aim**ais**
Tu aim**ais**
Il/Elle aim**ait**
Nous aim**ions**
Vous aim**iez**
Ils/Elles aim**aient**

être : j'étais, ...
avoir : j'avais, ...
faire : je faisais, ...

Attention aux verbes en –IER
Nous étud**iions**

Raconter

> **Depuis** l'époque de l'université, tu as beaucoup changé !

> Eh oui ! **Il y a** dix ans, j'ai rencontré Zoé. Je me souviens. C'était à la bibliothèque de la ville. Je lisais des mangas. Elle cherchait un roman japonais. Nous avons parlé du Japon. Puis nous sommes allés nous promener. Il faisait beau. Zoé était belle… Et voilà mon histoire. Zoé et moi, nous sommes mariés **depuis** cinq ans.

Raconter

○ **Le passé composé et l'imparfait dans un récit**

Les actions principales se mettent au passé composé. Les descriptions, les commentaires, les actions habituelles sont à l'imparfait.

*Elle **est sortie**. Il **faisait** beau. Elle **s'est promenée** dans la campagne. La nature **était** belle. Elle **venait** souvent dans cet endroit.*

○ **Préciser la durée**

– à partir d'un moment dans le passé :
***Depuis quand** Zoé et Paul sont ensemble ?*
*Ils sont ensemble **depuis le mois de juin**.*
– indiquer un espace de temps
***Depuis combien de temps** ils se connaissent ?*
*Ils se connaissent **depuis dix ans**.*
***Il y a combien de temps** qu'ils se connaissent ?*
***Il y a dix ans** qu'ils se connaissent.*

---

1 Classe les verbes dans le tableau. Observe l'emploi du passé composé et de l'imparfait.

Action principale	Action du deuxième plan (description, commentaire, habitudes)
Un jour, j'ai rencontré Zoé …	C'était à la bibliothèque, …

2 Observe les expressions en gras. Quelles expressions on utilise pour exprimer :

– un commencement dans le passé ;
– une durée (nombre de jours, de mois, etc.).

3 Mets le récit suivant au passé. Utilise le passé composé et l'imparfait.

Nous allons au bord de la mer pour le week-end. Il fait chaud. Il y a beaucoup de monde. Je prends un bain. Puis, avec mon frère, nous faisons du surf. Le soir, nous sommes fatigués.
« *Le week-end dernier, nous …* »

4 Lis ces informations sur la vie de Léo. Réponds aux questions.

Léo a commencé à faire de la guitare en 2010.
Il y a cinq ans qu'il fait du théâtre.
Il a quitté le lycée en 2011.
Il connaît Léa depuis trois ans.
a. Depuis combien de temps Léo fait de la guitare ?
b. En quelle année il a commencé le théâtre ?
c. Il y a combien de temps qu'il a quitté le lycée ?
d. En quelle année il a rencontré Léa ?

5 Pose des questions à ta voisine ou à ton voisin.

Depuis combien de temps…   tu apprends le français ?
                              tu habites ici ?
Depuis quand…   tu fais du sport ?
                              … ?

À l'écoute de la grammaire

1 🎧 Écoute ces phrases. Recopie le tableau dans ton cahier et note le temps du verbe.

	Présent	Passé composé	Imparfait
1.	Tu habites	…	…

2 🎧 Le son [j]. *Nous parlions – Vous parliez.*

Aujourd'hui comme hier
Vous aimez la poésie Vous aimiez la poésie.
Vous lisez Arthur Rimbaud … Vous lisiez Arthur Rimbaud.
…

Histoire
de famille

Réussite

FRANCOIS LE GALL : LE ROI DE LA CREVETTE

Installé en Nouvelle Calédonie depuis vingt-cinq ans, François Le Gall est directeur d'Aquagambas, une grosse entreprise de production de crevettes. Aujourd'hui, Aquagambas exporte en Europe et au Japon.

1 Chez François Le Gall, près de Nouméa en Nouvelle Calédonie, en mai.

Camille : Papa, c'est qui, là, sur la photo ?
François : Où tu as trouvé cette photo ?
Camille : Dans un livre de la bibliothèque.
François : Fais voir. Ah oui, Je me souviens. C'était l'anniversaire de mon frère, Thierry. On était dans le jardin de notre maison.
Camille : À Saint-Malo ?
François : Oui, Patrick avait vingt ans et moi vingt-deux. Là, tu vois, il y a mon père, ton grand-père. Il travaillait à la poste. Et là, ma mère, ta grand-mère. Elle était professeur d'école.

Camille : Ils sont morts dans un accident de voiture, c'est ça ?
François : Oui, l'année suivante Là, à côté de ma mère, il y a ma sœur Nathalie.
Camille : Elle avait quel âge ?
François : Elle avait trois ans de plus que moi, donc vingt-cinq ans. Elle était étudiante en sciences. Et après, c'est moi. Je faisais une école de commerce.

Activités

1. Écoute la scène 1. Complète ces informations.
a. François habite … depuis … .
b. C'est le directeur d' … .
c. Quand il était jeune, il habitait … .
d. Camille est la fille … . Elle est … .

2. Complète l'arbre généalogique de la famille Le Gall. Indique le nom, l'âge et l'activité des personnes.
NB : Tu complèteras ces informations dans les leçons suivantes.

3. Jeu de rôles, à faire par deux.
Sur le bureau d'un copain, d'une copine ou d'un membre de ta famille bureau, tu découvres la photo d'un(e) inconnu(e).

4. Écoute la scène 2. Réponds en donnant des explications.
a. Est-ce que Camille est contente ? Pourquoi ?
b. Quel est son projet ?
c. Est-ce que ce projet est facile à réaliser ? Pourquoi ?
d. Est-ce que tu penses qu'elle va réussir dans son projet ?

Camille : C'est toi, avec la barbe ?

François : Eh oui, j'ai changé Ensuite, à côté de mon père, il y a ma cousine Juliette. Et assis devant mes parents, ma sœur Mathilde. Elle avait dix-sept ans. Et à côté d'elle, mon frère Thierry. Il était étudiant en droit.

Camille : Et la fille à côté de Thierry ?

François : C'était sa copine Hélène.

Camille : Ils se sont mariés ?

François : Je ne sais pas.

Camille : Depuis quand tu n'as pas de contact avec ta famille ?

François : Depuis que je suis parti... Il y a vingt-cinq ans.

Camille : Et pourquoi tu es parti ?

François : Oh, c'est une histoire compliquée…

2 Fin septembre devant le centre culturel de Nouméa.

Tony : Salut Camille ! Alors, cet examen ?

Camille : J'ai réussi.

Tony : Félicitations ! Une licence de sciences à vingt et un ans. C'est trop classe ! Et qu'est-ce que tu vas faire maintenant ?

Camille : Continuer mes études, à Rennes.

Transcription → p.142

5. Jeu de rôles, à faire par deux.

Tu as réussi à l'examen de fin d'études secondaire (en France, le baccalauréat). Tu parles de tes projets avec un(e) ami(e).

ENCHAÎNER LES IDÉES

○ **Donc**
François a 22 ans. Nathalie a 3 ans de plus. **Donc**, elle a 25 ans

○ **Alors**
Tu ne vas pas au cinéma ? **Alors** qu'est-ce que tu vas faire ?

○ **Mais**
Nous voulions sortir **mais** il pleut. **Alors** nous sommes restés à la maison.

◉ PRONONCIATION

1 Différencie [o], [ɔ] et [ɔ̃].
C'est drôle. Mon oncle ne répond pas
Quand je lui pose des questions.
Il ne dort pas. Donc, il est mort.
Appelons la police.

2. Différencie [ɔ̃] et [ɑ̃].
Ça fait longtemps
Qu'il est sans réaction ?
A t-il mangé du jambon
Du concombre de Cambrai
Du saucisson de Sancy
Ou du melon du Languedoc ?

Familles d'aujourd'hui

La famille change

Il y a cinquante ans, en France, une famille devait ressembler à l'arbre généalogique de la page 99. Aujourd'hui on rencontre plusieurs types de famille : un homme et une femme, mariés ou non, avec ou sans enfants ; une personne seule avec un ou plusieurs enfants ; deux hommes ou deux femmes avec ou sans enfants.

On se marie beaucoup : 75 % des couples sont mariés et 10 % sont « pacsés » (ils ont signé un contrat appelé « pacte civil de solidarité » ou Pacs). 36 % des couples font un mariage religieux. Mais on divorce aussi beaucoup. Il y a un divorce pour deux mariages.

Les amis sont aujourd'hui aussi importants que la famille. Quand on fête une naissance ou un mariage on « oublie » souvent quelques membres de la famille et on préfère inviter des amis.

Quand le cinéma parle de la famille.

Les enfants, film de Christian Vincent, avec Gérard Lanvin et Karin Viard (2005)

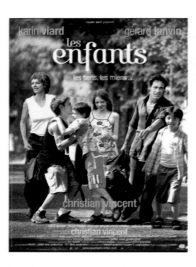

Pierre est professeur. Sa femme et lui se sont séparés il y a quelques mois. Tous les mercredis et un week-end sur deux, Pierre s'occupe de ses deux fils : Victor (14 ans) et Thomas (9 ans). Comme il vit dans un studio, il cherche un appartement plus grand. Il rencontre alors Jeanne, agent immobilier, divorcée, et mère de Camille, 13 ans et de Paul, 9 ans. C'est le coup de foudre. Pierre et Jeanne veulent vivre ensemble.

Ils partent en vacances avec les enfants sur l'île de Ré et, au retour, Pierre s'installe chez Jeanne avec ses fils. Mais les enfants, eux, n'ont pas envie d'être ensemble.

Ils se disputent sans arrêt et les problèmes commencent.

Lol, film de Lisa Azuelos, avec Sophie Marceau et Christa Theret (2008)

Lol, c'est Lola, une lycéenne de 16 ans. Elle vit heureuse avec sa mère divorcée, son petit frère, sa jeune sœur, et a une bande de copains sympathiques. Mais cette année d'adolescence va être une année difficile. Lola apprend que son copain Arthur a été infidèle pendant les vacances. Elle tombe amoureuse de Maël, le meilleur ami d'Arthur. Mais Maël hésite. Elle découvre aussi que sa mère continue à voir son père en cachette, qu'elle a une aventure avec un policier, qu'elle fume du cannabis et qu'elle lit son journal intime. Alors, Lol va vivre chez son père.

Une année faite de moments heureux et malheureux...

Vivre seul ou en couple *(pourcentage des plus de 18 ans)*	
hommes seuls	13 %
hommes seuls avec enfants	1 %
femmes seules	19 %
femmes seules avec enfants	6 %
couples sans enfant	28 %
couples avec enfants	32 %
autres situations	1 %

Les membres de la famille

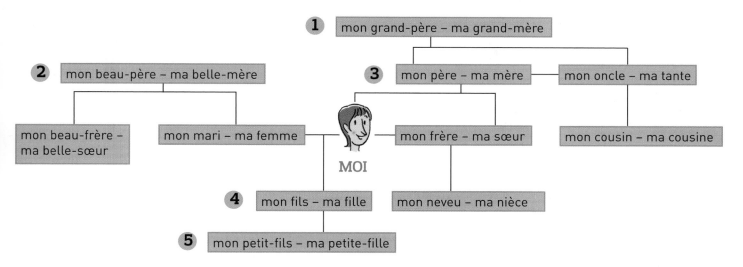

1 mon grand-père – ma grand-mère

2 mon beau-père – ma belle-mère

3 mon père – ma mère — mon oncle – ma tante

mon beau-frère – ma belle-sœur — mon mari – ma femme — mon frère – ma sœur — mon cousin – ma cousine

MOI

4 mon fils – ma fille — mon neveu – ma nièce

5 mon petit-fils – ma petite-fille

---

1 Lis les documents ci–dessus. Fais des comparaisons avec la situation dans ton pays.

2 🎧 Écoute le micro–trottoir. Un journaliste pose la question suivante :

« En dehors de ta mère et de ton père, quelle a été la personne adulte la plus importante dans ton enfance ? »

a. Recopie le tableau dans ton cahier et complète–le pour chaque personne interrogée.

	Personne préférée	Explications
1.	Un grand-père	...

b. Réponds à la question du journaliste.

3 Présente ta famille à ton voisin ou à ta voisine. Posez-vous des questions.

« Tu as un frère ? Qu'est-ce qu'il fait ? Il est marié ? Que fait ta belle–sœur ? »

4 La classe se partage les deux présentations de film. Pour chaque film, recherchez :

a. le type de famille présenté dans le film ;
b. les problèmes posés aux personnages.

5 Est–ce que tu connais un film qui parle de la famille ? Si oui, présente–le.

Le couple et la famille

● **les membres de la famille**
Voir l'arbre généalogique ci–dessus.
1 les grands-parents – **2** les beaux-parents –
3 les parents – **4** les enfants – **5** les petits-enfants
● **la vie du couple**
se rencontrer (une rencontre) – vivre ensemble –
un ami – un copain – un petit ami – un compagnon/
une compagne
se marier (un mariage) – un mari/une femme –
se séparer (une séparation) – divorcer (un divorce)

NB : Pour exprimer la réciprocité on utilise la conjugaison pronominale.
*Ils **se sont rencontrés**. Ils **s'aiment**. Ils vont **se marier**.*

Sondage
Être-vous accro
aux nouvelles technologies

1 **Avez-vous un ordinateur ?**

- J'ai un ordinateur personnel. `3`
- J'utilise l'ordinateur familial. `2`
- Je n'ai pas d'ordinateur, je vais dans les cybercafés. `1`
- Je n'utilise jamais d'ordinateur. `0`

Pétillon, *Le Meilleur de Pétillon*, Céfam, 2002

2 **Vous utilisez votre ordinateur pour... .**

- ...aller sur Internet. `1`
- ...faire mon travail scolaire. `1`
- ...imprimer des photos. `1`
- ...jouer à des jeux vidéo. `1`
- ...créer des documents. `1`

3 **Vous allez sur Internet à quelle fréquence ?**

- Jamais. `0`
- Quelquefois par semaine. `1`
- Une fois par jour. `2`
- Plusieurs fois par jour. `3`
- Je suis toujours connecté(e). `4`

Activités

1. Réponds au sondage avec l'aide de ton professeur.
Dans tes réponses aux rubriques 4 et 5, indique la fréquence.
Exemple : *J'envoie **souvent** des messages.*

2. Compte tes points.

3. Présente ton résultat à la classe. Explique pourquoi tu es :
- très accro aux nouvelles technologies (25 points et plus) ;
- normalement accro (entre 15 et 25 points) ;
- pas du tout accro (moins de 15 points).

4 Vous l'utilisez pour… .

- …envoyer et recevoir des messages. `1`
- …aller sur des réseaux sociaux. `1`
- …chercher des informations. `1`
- …faire des achats. `1`
- …participer à des « tchats ». `1`
- …enregistrer de la musique. `1`
- …télécharger des films. `1`
- …jouer en réseau. `1`
- …dialoguer avec une webcam. `1`
- …tenir un blog. `1`

5 Votre téléphone portable et vous.

- Dans la journée, j'ai toujours mon portable avec moi. `1`
- Je l'éteins le soir avant de me coucher. `0`
- Je le prends, la nuit, dans mon lit. `1`
- Je le prends dans la salle de bain. `1`

TOTAL DES POINTS `…/30`

6 Êtes-vous d'accord ?

- Les téléphones portables ne sont pas dangereux pour la santé. `1`
- L'ordinateur n'est pas difficile à utiliser. `1`
- Internet n'est pas dangereux pour les enfants. `1`
- Avec Internet la vie est plus facile et moins chère. `1`
- Avec Internet j'ai rencontré de nouveaux amis. `1`
- Sans mon portable je ne peux pas vivre. `1`

LE PORTABLE, ÇA SE POSE À DROITE OU À GAUCHE DE L'ASSIETTE ?

Pétillon, *Le Meilleur de Pétillon*, Céfam, 2002

**4. Que représentent « l' »
ou « le » dans les phrases :**
– Rubrique 2 → Vous
l'utilisez (…).
– Rubrique 5 → Je l'éteins
(…). Je le prends (…).

EXPRIMER LA FRÉQUENCE, LA RÉPÉTITION

○ *Il regarde* **toujours** *ses messages le soir.*

○ *Elle va* **souvent / quelquefois** *sur Internet.*

○ *Elle lit ses messages trois* **fois** *par jour.*

○ *Il* **n'**utilise **jamais** *Internet pour faire des achats.*

○ Le préfixe « **re-** » peut exprimer la répétition.
lire → relire – faire → refaire – dire → redire
Elle **a relu** *plusieurs fois le message.*

Utiliser les pronoms compléments directs

> Sylvia, vous pouvez traduire cette lettre en anglais ?

> D'accord, je **la** traduis.

> Je **le** prépare.
> Je **les** réserve.

> Il faut aussi préparer mon voyage aux États-Unis et réserver mes vols

> Il **m'**invite aussi ? C'est super. D'accord, je **le** fais.

> Max Terrier **nous** invite à la présentation de son nouveau film. Il faut **le** remercier et l'inviter à notre cocktail de jeudi.

> Je **vous** remercie Sylvia.

---

1 Observe les phrases. Que représentent les mots en gras ?

Je **la** traduis → Je traduis **cette lettre**.

2 Complète en utilisant un pronom complément direct.

○ *Léo :* J'ai rencontré une fille sympa. Je ... aime bien.
– *Marco :* Tu ... vois souvent ?
○ *Léo :* Oui ! Je ... appelle. Elle ... appelle. Je ... invite au Mac Do. Hier soir, on est allés à la nouvelle pizzeria de la rue Berthelot.
– *Marco :* Je ne ... connais pas.
○ *Léo :* On a mangé des lasagnes.
– *Marco :* Ah, les lasagnes, je ... adore !

3 Réponds en utilisant un pronom.

La télé et toi
○ Tu regardes souvent la télévision ?
– Oui, ...
○ Tu regardes les émissions de la nuit ?
– Non, ...
○ Tu aimes bien le présentateur de TF1 ?
– Oui, ...
○ Tu suis la série « Plus belle la vie » ?
– Oui, ...
○ Tu regardes souvent le journal télévisé ?
– Non, ...

4 Réponds en utilisant un pronom.

Le professeur à l'étudiant
○ Vous apprenez bien le vocabulaire ? – Oui, **je l'apprends**.
○ Vous faites les exercices ? – Oui, je ...
○ Vous comprenez mes explications ? – Oui, je ...
○ Vous écoutez le CD ? – Oui, je ...
○ Vous comprenez la vidéo? – Non, je ...

Les pronoms compléments directs

Pour reprendre un nom de personne ou de chose, complément direct du verbe (sans préposition).
*Je connais **M. Le Gall**.*   *Je **le** connais depuis longtemps.*

Il **me** connaît	Il **m'**appelle
Il **te** connaît	Il **t'**appelle
Il **le** connaît / Il **la** connaît	Il **l'**appelle
Il **nous** connaît	Il **nous** appelle
Il **vous** connaît	Il **vous** appelle
Je **les** connais.	Il **les** appelle

NB : Ici, « le », « la », « les », « l' » (devant une voyelle ou h) » ne sont pas des articles. Ce sont des pronoms. Ils se placent devant le verbe.

○ **Forme négative**
*Je ne **le** connais pas.*   *Elle ne **m'**appelle pas.*

○ **Forme interrogative**
*Est-ce que vous **le** connaissez ?*
***Le** connaissez-vous ?*

Interroger

Quand sort votre prochain film ?

Estelle Blanc est-elle arrivée ?

Où partez-vous en vacances cette année ?

Vous avez vu Estelle Blanc ? Est-ce qu'elle est là ?

À qui parle Pierre Duval ?

1 Observe les phrases ci-contre.

a. Trouve :
– les trois façons de poser une question ;
– les mots interrogatifs.
b. Trouve d'autres mots interrogatifs : Combien ; ...

 2 Complète ce dialogue avec les questions.

○ ... ?
– Oui, je pars en vacances.
○ ... ?
– Dans les Alpes.
○ ... ?
– En août.
○ ... ?
– Avec Marie, Vanessa et Luc.
○ ... ?
– De la randonnée.
○ ... ?
– Si, je vais faire du vélo.

 3 En petits groupes, préparez un sondage sur les habitudes et les goûts des jeunes en matière de cinéma. Rédigez huit questions. Utilisez des formes différentes.

L'interrogation

○ **Question générale**
– Vous aimez le film? – Vous n'aimez pas ce film ?
– Est-ce que vous aimez le film ?– Est-ce que vous n'aimez pas le film ?
– Aimez-vous le film ? N'aimez-vous pas le film ? / Marie aime-t-elle le film ?
○ **Les mots interrogatifs (avec chacune des formes)**
Qui invitez-vous ? / Vous invitez **qui** ? / **Qui** est-ce que vous invitez ?
Où tournez-vous votre prochain film ? / Vous tournez votre prochain film **où** ? / **Où** est-ce que vous tournez votre prochain film ?
À qui Pierre parle-t-il ? / **À qui** parle Pierre ? Pierre parle à qui ? / **À qui** est-ce que Pierre parle ?
Que Pierre écrit-il ? / **Qu'**écrit Pierre ? / Pierre écrit **quoi** ? / **Qu'**est-ce que Pierre écrit ?
Quand Sylvie part-elle? / **Quand** part Sylvie ? / Sylvie part **quand** ?

À l'écoute de la grammaire

1 🔊 **Rythme et enchaînement : les phrases courantes de la classe : → Les phrases du professeur.**

Vous m'écoutez ?
Vous me comprenez ?
Voici un exercice... Vous le faites.
Voici un dialogue... Vous l'écoutez
Vous avez fait des fautes... Vous les corrigez

2 🔊 **Rythme et enchaînement : les phrases courantes de la classe : → Les phrases des étudiants.**

C'est difficile !
L'explication... Je ne la comprends pas.
Ces mots... Je ne les comprends pas.
Le texte ... Je ne le comprends pas.
Cet exercice... Je ne sais pas le faire.
Ce mot... Je ne sais pas le prononcer.

Histoire
de famille

1 Octobre. À la faculté de sciences
de l'université de Rennes.

La secrétaire : À qui le tour ?
Un étudiant : À moi !
Camille : Désolée. Je pense que c'est à moi.
L'étudiant : Tu es sûre ?
Camille : Totalement.
Une étudiante : Elle a raison. Et moi aussi j'étais
là avant toi.
L'étudiant : Ah bon. Excuse-moi. Je n'ai pas fait
attention.

◯ **Dans le bureau du secrétariat.**
Transcription → p.142

◯ **Quand Camille sort du bureau.**
L'étudiant : Je t'ai entendue. Tu viens de
Nouvelle Calédonie ?
Camille : Oui, tu connais ?
L'étudiant : Non, mais c'est original. Moi, je
viens de Paimpol, à 10 kilomètres… C'est plus
banal.
Camille : C'est original pour moi.
L'étudiant : Je t'invite à prendre un café ?
Camille : Désolée. Je n'ai pas le temps. J'ai un
rendez-vous pour une chambre.
L'étudiant : Tiens, voilà mon nom et mon
numéro de portable. Tu m'appelles quand tu
veux.
Camille : D'accord… Frédéric, je t'appelle.

Activités

1. Écoute la scène 1. Raconte les
épisodes précédents de l'histoire.
Associe chaque partie du dialogue
à un dessin.

2. Complète ce résumé de chaque partie
de la scène 1.
(1) Camille attend … . Un étudiant … .
(2) Camille se présente … . La secrétaire … .

(3) Quand Camille sort du secrétariat … .
L'étudiant s'appelle… . Il donne … .

3. Écoute la scène 2. Réponds.
a. Qui Camille est-elle allée voir ?
b. Est-ce que cette personne est
chez elle ?
c. Qui Camille rencontre-t-elle ?
d. Cette personne est-elle
intéressante ?
e. Qu'apprend Camille ?

4. Note les nouvelles informations
sur les personnages de l'histoire.

5. Jeu de rôles à faire par deux
Tu es invité(e) à passer un dimanche
chez des amis, dans leur maison de
campagne. Tu arrives chez eux à midi.
Tu sonnes. Tu appelles. Personne ne
répond. Un voisin ouvre sa fenêtre.
Tu lui poses des questions.
Utilise le vocabulaire du tableau.

2 Quelques jours plus tard, à Saint-Malo, devant la maison familiale.

Le voisin : Vous cherchez quelqu'un ?
Camille : Nathalie Le Gall. Elle habite bien ici ?
Le voisin : Oui, vous la cherchez pourquoi ?
Camille : Je suis sa nièce. Je viens de Nouvelle Calédonie.
Le voisin : De Nouvelle Calédonie ! Mais alors vous êtes la fille de François !
Camille : Vous connaissez mon père ?
Le voisin : Bien sûr je le connais. Nous sommes des amis d'enfance. Ça alors, c'est extraordinaire ! La fille de François ! Mais ne restons pas là. Venez à la maison. J'habite à côté.

○ **Plus tard, chez le voisin.**

Camille : Alors, ma tante Nathalie est une scientifique ?
Le voisin : Oui, elle travaille souvent en Afrique et quand elle va là-bas, je m'occupe de son jardin.
Camille : Vous avez son adresse e-mail ?
Le voisin : Bien sûr. La voici.

Camille : Je vous remercie… Et mon oncle Thierry, et ma tante Mathilde, vous les voyez ?
Le voisin : Non. Ils ne viennent jamais. Vous savez, dans cette famille, depuis la mort des parents, ils sont tous fâchés.
Camille : Vous savez où ils habitent ?
Le voisin : Je crois que Thierry est à Rennes, au Conseil Régional. Mathilde, elle, je ne sais pas. Je sais qu'elle a fait des études d'infirmière. Puis elle a rencontré un garçon. Je pense qu'elle a quitté la région.

POUR EXPRIMER UNE OPINION

○ Vous croyez (vous pensez) que Thierry va rentrer. – À votre avis, il va rentrer ?

○ Je crois…
Je pense… } qu'il va rentrer
Je suis sûr(e)…

○ Il va peut-être rentrer… – C'est possible.

○ C'est vrai. / C'est faux.

PRONONCIATION

1. Différencie [ʃ] et [ʒ].
Internet
Chercher « Géorgie » ou
« Shéhérazade »
Télécharger des pages de Giono
Jouer avec des gens de Chicago
Enregistrer des chansons
Voyager en Chine ou au Japon
Échanger des images
Aujourd'hui, le monde est un village.

2. Différencie [s] – [z] – [ʃ] et [ʒ].
Montmartre
Dans sa chambre, sous les toits
Au dixième étage
Charles peint des paysages
Il fait chaud en juillet
Et il neige en janvier
Chaque dessin, un peu d'argent
Et Charles fait des projets
Avec sa charmante voisine.

Petits messages entre amis

De : alejandro_marinho@hotmail.fr
À : gaelle.ferrand@gmail.com
Objet : merci !

Bonjour Gaëlle !
Je te remercie pour les documents sur le château de Chenonceaux. Je vais les utiliser pour mon exposé.

Bises

Alejandro

1

De : erikapolanska@orange.fr
À : valou75013@yahoo.fr ; antoine_chertouk@gmail.fr
Objet : bonne année 2012

Chère Valérie, cher Antoine
J'espère que vous allez bien.
Je garde un excellent souvenir de ce mois d'été passé chez vous.
Je vous souhaite un joyeux Noël et vous adresse mes meilleurs vœux pour la nouvelle année.

Je vous embrasse.

Érika

2

De : florence-guiraud@hotmail.fr
À : giulia_bartolucci@gmail.it
Objet : location chambre

Bonjour Giulia,
Je vous prie de m'excuser de répondre à votre message avec une semaine de retard. J'étais en voyage professionnel en Argentine.
La chambre est libre en août. Je peux vous la louer pour 300 euros tout compris.
J'attends votre réponse.
Faites mes amitiés à votre ami Luigi.

Cordialement,

Florence Guiraud

4

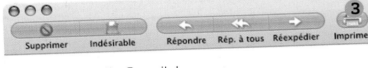

De : hansmuller@gmail.de
À : camille.faure@free.fr
Objet : Bravo !!!!

Salut Camille !
Je te félicite pour ton succès. Je suis très content pour toi. Je te remercie aussi pour ton invitation. Mais je ne vais pas pouvoir venir à la fête. Je le regrette beaucoup.
Je dois repartir en Allemagne dimanche prochain.
J'espère qu'on va se revoir un jour. Peut-être en France.

Bisous

Hans

3

Mathilde Rougier et Benjamin Sarre
sont heureux de vous inviter à leur mariage

Le 25 mai 2012

Cérémonie à la mairie de Saint-Bonnet
à 16 heures
Fin d'après midi et soirée
à l'auberge de Laroche

5

---

1 **Pour chaque document, complète le tableau dans ton cahier.**

	1.	...
Qui écrit ?	...	
À qui ?		
À quelle occasion ? Que s'est-il passé avant ?		
Qu'exprime la personne qui écrit ? (des remerciements, des excuses, etc.)		

2 **Voici des expressions orales. Comment les exprime-t-on à l'écrit ?**

a. « Merci ! » **d.** « Venez dîner demain ! »
b. « Désolée ! » **e.** « Bravo ! »
c. « Excuse-moi ! » **f.** « Salut à Luigi ! »

Savoir vivre en France

Tutoyer ou vouvoyer ?

Quand on ne se connaît pas très bien, on se dit « vous », mais les jeunes se disent « tu » tout de suite.

Certains adultes continuent à se dire « vous », même s'ils se connaissent depuis longtemps. On se dit « tu » en famille et entre amis et on tutoie aussi les enfants. Un conseil : attendez que votre interlocuteur vous dise « tu » pour le tutoyer.

Serrer la main ou faire la bise ?

Quand ils se rencontrent, les Français se serrent souvent la main (jamais plusieurs fois par jour). On se fait la bise en famille, entre jeunes ou entre amis. Les femmes et les hommes entre eux, les femmes entre elles, les hommes entre eux quand ils sont très bons amis.

Madame, Monsieur...

Quand on tutoie quelqu'un, on l'appelle par son prénom : « Bonjour Nathalie ». Quand on vouvoie quelqu'un, on l'appelle par Monsieur ou Madame suivi de son nom : « Bonjour Madame Le Gall ». On peut aussi vouvoyer quelqu'un et l'appeler par son prénom dans une situation informelle (dans une soirée ou au bureau). On ne dit jamais « Monsieur Pierre » ou « Madame Nathalie».

Bonjour ou bonsoir ?

On dit « bonjour » jusqu'au début de la soirée. Puis on dit « bonsoir ».

On dit « bonne soirée » ou « bonne nuit » quand on se quitte le soir.

Au lieu de dire « Au revoir », on peut dire « À bientôt », « À demain », « À la semaine prochaine », « Bonne journée », « Bonne après midi », « Bonsoir », « Bonne soirée », « Bonne nuit », « Bon travail », « Bon film », etc.

À l'heure, en avance ou en retard

Essayez d'arriver à l'heure à vos rendez-vous. Mais quand on vous invite à dîner, arrivez avec un petit quart d'heure de retard. Pour une première invitation apportez un petit cadeau (des fleurs, un livre…).

Quand on vous fait un cadeau, ouvrez-le tout de suite et dites votre plaisir de le recevoir.

Quand vous faites un cadeau présentez-le : « C'est un poster du musée de ma ville. Ça représente un tableau célèbre ».

---

3 Rédige ces messages.

a. Une amie t'a prêté un livre il y a six mois. Elle te le demande. Tu lui renvoies ce livre avec un petit mot. Exprime tes excuses, tes remerciements, ton plaisir d'avoir lu ce livre.

b. Le frère de ton correspondant en France t'invite à son mariage. Mais tu ne peux pas y aller. Tu lui envoies un message. Exprime tes remerciements, tes regrets, tes excuses, tes souhaits…

→ Projet
Réalise un petit code du savoir vivre pour des étrangers qui viennent vivre dans ton pays.

---

4 Observe les photos de la page 107.

a. Par deux, imaginez un dialogue pour chaque situation.

b. Écoute les scènes. Compare avec tes productions.

Pour remercier

Merci – Je vous remercie (beaucoup). – C'est très gentil à vous.

Réponses → De rien. – Il ne faut pas. – Je vous en prie.

N.B : « Je vous en prie » est utilisé pour laisser passer quelqu'un (quand on entre dans une pièce ou dans l'ascenseur).

Pour s'excuser

Excusez-moi. / Excuse-moi. – Je suis désolé(e). – Je regrette. Je vous prie de m'excuser.

Réponses → Ce n'est rien. – Ce n'est pas grave. – Ça ne fait rien.

FORUMDESJEUNES.NET

Accueil   Tchat   Jeux-concours   Jeux   Règles   Facebook   🔍 Recherche...

Envie de discuter ? Besoin d'un conseil ? Problème de cœur ?
Ici, des amis peuvent t'aider.

• Reparler à mon ex
J'ai quitté mon copain il y a un an. Je voudrais bien reparler avec lui. Pas parce que je l'aime. Juste pour être amis.
Il est amusant. C'était un bon pote. Mais je lui envoie des messages et il me répond deux mois plus tard.
J'ai envie qu'on redevienne amis. Comment faire ?
Maeva

• Argent de poche
Mes parents me donnent juste 10 euros par semaine d'argent de poche. Comment leur expliquer que j'ai dix-sept ans et qu'avec 10 euros par semaine, c'est difficile d'avoir une vie sociale.
Romain

• Toujours fatigué
Je suis toujours fatigué. Même quand je me couche tôt et que je dors bien toute la nuit. Souvent, dans la journée, je ne me sens pas bien. Ma tête tourne. Je vois trouble.
Est-ce normal chez un ado ? Je me demande si je dois aller voir un médecin.
Loïc

•Je déteste mon beau-père
Quand mon beau-père me parle, c'est toujours pour me critiquer ou me donner des ordres. Je lui réponds qu'il n'est pas mon père et on se dispute.
J'essaie de l'éviter mais il est au chômage et il est toujours à la maison quand je rentre du lycée.
Manon

Activités

1. La classe se partage les huit messages des participants au forum. Lisez–les avec l'aide du professeur. Préparez :
a. une présentation du problème exposé dans le message ;
b. une réponse avec des conseils.

2. Présentez le problème et vos conseils. La classe donne son avis.

• Guérir de ma timidité

Je suis timide. Je le sais. Quand je dois faire un exposé en classe, je suis nerveux, je ne dors plus et j'ai mal à l'estomac. Je suis mal à l'aise avec les gens que je ne connais pas. J'aimerais bien guérir de cette maladie.

Marco

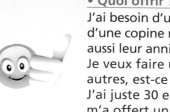

• Quoi offrir ?

J'ai besoin d'un conseil. Je suis invitée à l'anniversaire d'une copine mais deux autres copines à elle fêtent aussi leur anniversaire. Je ne les connais pas.
Je veux faire un cadeau à ma copine mais aux autres, est-ce que je dois leur faire un cadeau ?
J'ai juste 30 euros. À mon anniversaire, ma copine m'a offert un super jeu vidéo. Je ne peux pas lui offrir un truc à 10 euros.

Luce

• Trop maigre

Ma famille n'arrête pas de me dire que je suis trop maigre. Je leur réponds que je mange bien et que je me sens bien. Mais ils veulent m'envoyer chez un médecin.

Sarah

• Accro aux boissons énergisantes

Je bois une canette de Red Bull par jour. Avant c'était juste une par semaine. J'ai peur de devenir accro. On me dit que c'est dangereux. Je me demande si c'est vrai.

Marion

3. Participe au forum.

a. Chaque étudiant pense à un problème et l'expose en quelques lignes sur une feuille de papier.
b. Les feuilles sont pliées et tirées au sort.
c. Chaque étudiant prépare des solutions au problème qu'il a tiré au sort.
d. Il présente à la classe le problème et ses solutions.

POUR DONNER UN CONSEIL

○ Je lui conseille de téléphoner à son ami.
Je lui propose une solution : téléphoner à son ami.
Un conseil : téléphone-lui.

○ À mon avis, elle doit le voir – Il faut lui parler. – Elle ne doit pas le quitter.

○ Elle doit faire attention.

Les pronoms compléments indirects

La nouvelle assistante de la directrice n'est pas très sympa. Je **lui** dis bonjour. Elle ne **me** répond pas. Et vous, elle **vous** parle ?

Bien sûr. Elle **nous** parle. On **la** voit souvent. Elle **nous** connaît bien... Toi, elle ne **te** connaît pas.

Nous, avec les nouvelles, on a la technique. On **leur** offre un café. On **les** invite à la cantine. On **leur** présente tout le monde. On **leur** raconte des histoires drôles. Viens, on va **te** présenter...

Les pronoms compléments indirects

1. Pour reprendre un nom de personne après la préposition « à » quand le verbe exprime une idée de communication ou d'échange.

demander à – répondre à – écrire à – envoyer quelque chose à – dire quelque chose à – donner quelque chose à – etc.

Elle **me** téléphone.	Elle **m'**écrit.
Elle **te** téléphone.	Elle **t'**écrit.
Elle **lui** téléphone.	Elle **lui** écrit.
Elle **nous** téléphone.	Elle **nous** écrit.
Elle **vous** téléphone.	Elle **vous** écrit.
Elle **leur** téléphone.	Elle **leur** écrit.

○ **Forme négative :** Elle **ne me** téléphone **pas**.

○ **Forme interrogative :** Est-ce qu'elle vous téléphone ? Vous téléphone-t-elle ?

2. Quand le verbe n'exprime pas une idée d'échange ou de communication.

Tu penses à Marie ? → Oui, je pense à elle.

3. Quand le complément introduit par « à » est un nom de chose (voir p.130).

Tu penses à ton travail ? → Oui, j'y pense.

1 Que reprennent les pronoms en gras ? Recopie le tableau dans ton cahier et classe les pronoms selon la construction du verbe. Trouve d'autres exemples.

	Le complément est direct (= Il est relié au verbe sans préposition.)	Le complément est indirect (= Il est relié au verbe avec la préposition « à ».)
Le pronom représente Je / tu – nous / vous		
Le pronom reprend un nom de personne		Je dis bonjour à la nouvelle assistante → Je **lui** dis bonjour.
Le pronom reprend un nom de chose		

2 Complète en utilisant les pronoms compléments indirects.

Rencontres sur Internet

Clara : Comment tu fais pour avoir des amis étrangers ?

Lise : Je vais sur un site Internet. Je sélectionne des annonces sympas de lycéens étrangers. Je ... envoie des messages.

Clara : Ils ... répondent ?

Lise : Quelques-uns ... répondent. Ils ... parlent de leurs goûts.

Clara : Ils ... envoient leur photo ?

Lise : Quelques-uns. Alors, quand les échanges avec le lycéen étranger sont positifs, je ... donne rendez-vous sur Skype. On peut discuter en direct, c'est très sympa !

3 Supprime les répétitions du texte. Remplace les mots soulignés par un pronom complément direct ou indirect.

Discussion devant la machine à café

○ Tu connais la nouvelle ? Clémentine a quitté Antoine !

– Elle a quitté <u>Antoine</u> quand ?

○ Il y a un mois. Elle a écrit une lettre à <u>Antoine</u>. Elle a dit à <u>Antoine</u> qu'elle allait vivre à Toulouse.

– Et les enfants ?

○ Elle a emmené <u>les enfants</u>.

– Antoine peut voir <u>les enfants</u> ?

○ Il voit <u>ses enfants</u> pendant les vacances mais il téléphone tous les soirs à <u>ses enfants</u>.

Pour rapporter des paroles ou des pensées

Elle est bizarre cette assistante. Je lui dis que le café n'est pas bon ici. Elle me demande où on peut boire un bon café. Je lui demande si elle veut venir avec moi au café du coin. Elle me dit d'accord. Elle me demande de l'attendre. Je l'attends... Et un quart d'heure après elle m'envoie un SMS pour me dire qu'elle ne vient pas.

Rapporter des paroles ou des pensées

Pour rapporter :

◯ **une affirmation**

« Je suis en forme. » → Il dit qu'il est en forme.
Il sait que ... – Il pense que ... – Il croit que ...
Je réponds que ... – Je me souviens que ...

◯ **une question**

« Tu es fatigué ? » → Je lui demande s'il est fatigué.
Il me demande si (quand, où, comment, etc.) je vais me reposer.

◯ **un ordre**

« Repose-toi ! » → Je lui demande (Je lui dis) de se reposer.

1 Observe le dessin. Retrouve les paroles prononcées par chaque personne.

L'homme : « Le café n'est pas bon ici. »
L'assistante : « ... »

2 Rapporte le dialogue entre Lisa et Paul.

« Lisa dit à Paul qu'elle a envie de sortir. Paul ... »
Lisa : J'ai envie de sortir.
Paul : Où tu veux aller ?
Lisa : Je voudrais aller danser. Tu veux venir ?
Paul : Je suis fatigué.
Lisa : Je ne veux pas sortir seule.
Paul : Appelle Marie !

3 Tu es avec une amie. Un copain te téléphone. Transmets ce qu'il dit à ton amie.

Le copain : « Donne le bonjour à ton amie. Il fait très beau ici. Vous êtes libres le week-end prochain ? Venez passer le week-end ! J'ai une chambre d'amis. N'oubliez pas vos chaussures de marche ! »

Ce que tu dis à ton amie : « Il te dit bonjour ... »

À l'écoute de la grammaire

1 Le son [y] et le rythme de la négation « ne ... plus ».

Accro des jeux vidéo
Il ne sort plus de son studio
Il ne lit plus. C'est inutile
Il ne dort plus. Il ne mange plus
C'est ridicule.

2 Rythme des constructions pour rapporter des paroles.

Entraîneur et sportif
Il me dit qu'il est fatigué
Je lui demande d'essayer
Il me demande s'il peut s'arrêter
Je lui dis de continuer
Il me dit qu'il a mal
Je lui réponds que c'est normal.

Histoire de famille

De : Nathalie Le Gall
À : Camille Le Gall
Date : 15 novembre
Objet : ReRencontre

Chère Camille,
Pour une surprise, c'est une surprise ! J'ai été très heureuse de recevoir ton message.
Mais d'abord tu es ma nièce, alors je vais te dire « tu » et toi aussi tu dois me tutoyer.
Je te réponds avec du retard parce que je suis en Afrique pour mon travail. Mais ma mission est bientôt finie et je rentre à Saint-Malo en décembre.
J'espère bien faire ta connaissance. J'aimerais aussi que tu me donnes des nouvelles de mon frère. Je te donne mon numéro de portable. Appelle-moi à partir du 4 décembre.

1 Courriels

De : Camille Le Gall
À : Nathalie Le Gall
Date : 1er novembre
Objet : Rencontre

Chère tante,
Vous allez être surprise parce que vous ne me connaissez pas. Je suis Camille Le Gall, la fille de votre frère, François. Je fais des études à Rennes et j'aimerais bien vous rencontrer.

Activités

1. Lis les deux messages. Complète.
a. Camille a écrit à ...
b. Elle lui dit...
c. Le 15 novembre, Nathalie lui...
d. Elle lui dit que...
e. Elle lui demande de...

2. Par deux jouez la scène.
Le 5 décembre, Camille appelle Nathalie. Imaginez leur conversation.

3. Écoute la scène 2. Approuve ou corrige les phrases suivantes.
a. Thierry et Hélène ont eu un enfant. Il s'appelle Gabriel.
b. Thierry et Hélène se sont mariés.
c. Ils se sont séparés.
d. Depuis cette séparation Thierry vit seul.
e. Hélène s'occupe toujours de Gabriel.
f. Thierry a beaucoup de temps libre.

4. Par deux imaginez la suite de la scène. Thierry reçoit Camille.

5. Écoute la scène 3. Réponds.
a. Pourquoi Camille est-elle à l'hôpital ?
b. Pourquoi l'infirmière est-elle surprise ?
c. Comment s'appelle l'infirmière ?

3 Quelques jours plus tard, au service des urgences de l'hôpital de Rennes.

L'infirmière : Qu'est-ce que vous avez ?

Camille : J'ai très mal au bras. Je faisais du roller. Je suis tombée.

L'infirmière : Où ça vous fait mal ? Là ?

Camille : Oh oui, ça me fait très mal. Excusez-moi, je m'assieds, je ne me sens pas bien.

L'infirmière : Bon, j'appelle un médecin et vous allez passer une radio... Je vais ouvrir un dossier. Vous vous appelez comment ?

Camille : Le Gall, Camille.

L'infirmière : Le Gall en deux mots ?

Camille : Oui.

L'infirmière : Alors on a le même nom. Et vous habitez... ?

Camille : J'ai une chambre à Rennes parce que je fais mes études à la fac mais je réside en Nouvelle-Calédonie.

L'infirmière : Attendez, votre père ne s'appelle pas François ?

Camille : Si.

L'infirmière : Alors, on est de la même famille !

2 Au Conseil Régional de la région Bretagne.

Thierry : Allo Hélène ? C'est Thierry.

Hélène : Oui. Qu'est-ce qu'il y a ?

Thierry : Écoute, Hélène. Je ne peux pas prendre Gabriel aux vacances de février. J'ai un voyage au Japon avec le Conseil régional.

Hélène : Thierry, tu dois t'occuper de Gabriel aux vacances de février. C'est notre accord.

Thierry : Oui, mais là, c'est exceptionnel.

Hélène : C'est toujours exceptionnel avec toi. C'est comme pour les mercredis. Tu prends Gabriel une fois sur quatre.

Thierry : Tu le sais bien. Je suis très occupé.

Hélène : Et Myriam, est-ce qu'elle est occupée ?

Thierry : Myriam, c'est fini. Elle est partie depuis une semaine.

Transcription ➜ p.143

---

6. Lis le tableau. Que dis-tu dans les situations suivantes :

a. Tu as mangé trop de gâteau au chocolat.

b. Tu fais du football. Un copain te bouscule violemment.

c. Tu fais du vélo. Il pleut. Tu tombes sur la route.

d. Tu as bu un peu trop de bière.

🔊 PRONONCIATION

Différencie [p] et [b].

Allo ! Le bar du palais ?
C'est la police de Bobigny.
Je veux parler à Barnabé.
Il est absent ? Il est occupé au bureau ?
Il est parti en bateau ?
Et il n'a pas de bagages !
Et il a fait couper sa barbe !
Comme c'est bizarre !

POUR PARLER D'UN PROBLÈME DE SANTÉ

○ **La maladie**

être malade – avoir mal au ventre, à la tête, aux dents – se sentir bien / mal – Il ne se sent pas bien. – Il se sent mieux. – être guéri

○ **Les blessures**

se faire mal – Elle s'est fait mal au bras.
se blesser – Il s'est blessé à la jambe. – se casser un bras, une jambe

○ **Les médecins et l'hôpital**

un médecin – un dentiste – aller chez le médecin – faire une ordonnance – un médicament – une pharmacie – un(e) pharmacien(ne) – un hôpital – une clinique – une infirmière – une ambulance

Les études en France

Les études en France

En France, l'école est **obligatoire** entre 6 et 16 ans. **L'école publique** est **gratuite**. Les communes et les régions paient les livres et les cahiers.
L'école publique est **laïque**. Elle respecte toutes les religions. On ne doit pas porter de signes religieux dans les écoles.
Il existe des **écoles privées**. Elles accueillent 15 % des élèves.

L'école maternelle (de 2 à 6 ans)

À 3 ans presque tous les enfants vont à l'école maternelle. On les prépare aux apprentissages de l'école primaire.

L'école primaire (de 6 à 11 ans)

Les enfants apprennent à lire, à écrire et à compter.
À l'école primaire comme à l'école maternelle la classe se déroule de 8 h 30 à 11 h 30 et de 13 h 30 à 16 h 30.

Le collège (de 11 à 15 ans)

Dans la classe de sixième (6e) puis de 5e, 4e et 3e, les collégiens étudient les connaissances générales. Ils apprennent deux langues étrangères.

Le lycée (de 15 à 18 ans)

Au lycée, on entre en classe de « seconde » puis on va en « première » et en « terminale ». Les jeunes commencent à se spécialiser. Beaucoup font des études générales (lettres, maths et sciences, etc.). D'autres se préparent à un métier dans les lycées professionnels. Au lycée d'enseignement général, c'est en 1ère qu'on choisit la voie scientifique (S), économique (ES) ou littéraire (L).
70 % des jeunes Français réussissent à l'examen final : le baccalauréat (on dit aussi le « bac »).

Après le bac

On va à l'université ou dans une école professionnelle (école d'ingénieur, école d'administration, etc.).

L'EMPLOI DU TEMPS D'UNE LYCÉENNE DE CLASSE DE SECONDE

	lundi	mardi	mercredi	jeudi	vendredi	samedi
08h – 09h	histoire / géographie	français	allemand	anglais		
09h – 10h	français			maths	SVT	français
10h – 11h	mathématiques	EPS (éducation physique et sportive)	histoire / géographie	histoire / géographie	physique / chimie	maths
11h – 12h	anglais			anglais	anglais	allemand
12h – 13h						
13h – 14h				éducation civique		
14h – 15h	physique (1h30)	option scientifique (14h30/16h)		maths		
15h – 16h	SVT (sciences de la vie et de la terre – 1 h 30)			maths		
16h – 17h		SES (sciences économique et sociale)			français	
17h – 18h	anglais					

Préparation du conseil de classe

Au conseil de classe, nous pouvons présenter vos demandes et vos propositions. Merci de remplir sérieusement ce questionnaire.
Les élèves délégués de classe

Au lycée, j'aime...	Au lycée, je n'aime pas...
Le carnaval. L'an dernier, c'était super. Il faut recommencer cette année.	Les cours le samedi matin. Je préfèrerais des cours plus tard le soir.
C'est différent du collège. Quand le prof est absent, on peut sortir sans autorisation.	Les trous dans l'emploi du temps. Par exemple, le vendredi, nous devons attendre de midi à 16 h pour le cours de français.
J'aime les clubs (ciné, musique, etc.).	
Le foyer cafétéria est sympa. On peut manger quelque chose. Il y a des magazines.	Les repas à la cantine. Les légumes ne sont pas bien préparés. La file d'attente à la cantine.
Par rapport au collège les relations sont plus simples. Les profs ne posent pas de questions trop personnelles. Les surveillants sont jeunes et sympas.	Quand on a 2 h avec un prof on voudrait bien une pause. En 1ère ES 5, est-ce qu'on pourrait changer l'heure du cours de maths du vendredi de 17 h à 18 h ?

→ **Projet**

Imagine un cours de français idéal : le lieu, les personnes, la durée, la méthode, le programme, etc.

---

1 En petit groupe lisez « Les études en France ». Relevez les différences avec les études dans votre pays.

2 Écoute ces parents d'élèves. Trouve dans quelle école ou dans quelle classe sont leurs enfants. Quel est leur problème ?

Document	École/classe	Problème
1.	collège	Doit se lever à 6 h pour prendre le car.
2.	...	...

3 En petits groupes, lisez l'emploi du temps.

a. Comparez avec un emploi du temps dans un lycée de votre pays :
– les horaires ;
– les matières et le nombre d'heures par matière.
b. Quels sont d'après vous :
– les avantages de cet emploi du temps ?
– ses défauts ?

4 Lis l'enquête des délégués de classe. Relève ce qui est étonnant pour toi. Complète l'enquête pour ton école.

Partagez vos passions !

Le site des jeunes de Châteauneuf

Châteauneuf SUR **Loire** ■ **Loisirs** ■ Voyages ■ **Projets** ■ Actions solidaires

Tu ne trouves pas de partenaire pour jouer aux échecs...
Tu cherches des amis pour réaliser un projet...
Tu cherches une compagne ou un compagnon de voyage...
Ce site peut t'aider !

➤ Les élèves de l'école de stylisme Modes'Arts préparent la présentation de leur collection du 8 février. Nous cherchons des filles grandes (plus de 1,75 m), minces, qui ont un joli sourire et qui savent marcher sur une scène.
Contacter Nadia

➤ Salut ! Je suis nul en maths mais je joue bien de la guitare. Si tu veux apprendre la guitare et m'aider en maths contacte-moi. Je suis patient et travailleur.
Édouard

➤ J'ai 18 ans et j'ai envie de traverser la Corse à pied avec sac à dos en juillet. Je cherche une compagne ou un compagnon pour cette aventure. Je suis décontractée, pas compliquée et j'ai bon caractère. Tu es sportive (sportif), tu aimes la nature et les randonnées. Contacte-moi !
Aude

Activités

1. Lis les annonces avec l'aide du professeur. Pour chaque annonce recherche :
a. Qui écrit (nom, activité, goûts, qualités) ?
b. Quel est son projet ?
c. Qui cherche-t-il ? Quelles qualités doit avoir la personne recherchée ?

2. Relève les mots qui expriment les qualités et les défauts des personnes.

	Qualités	Défauts
Pour le travail	...	...
Avec les autres	...	...
Autres situations	...	...

➤ Le club ciné du lycée La Fontaine va tourner un film pendant les vacances de Pâques. C'est un projet sérieux qui est financé par le Conseil régional.
Nous avons besoin d'un scénariste créatif.
Nous cherchons aussi des jeunes pas trop timides, drôles et dynamiques avec une petite expérience du théâtre.
Corentin

➤ Nous sommes une dizaine de filles et de garçons qui passons les étés à restaurer le vieux château de Broussac, en Bourgogne. L'ambiance est sympathique. On travaille mais on s'amuse aussi beaucoup.
Tu es passionné(e) par les vieilles pierres, tu n'es pas paresseux(se), tu aimes les contacts, réponds à ce message.
Maéva

➤ Tu connais « le Pain Partagé ». C'est une association qui propose des repas aux personnes en difficulté. Elle a besoin d'aide. Viens nous rejoindre. L'ambiance est sympa.
Faustine, Djoey, Clarisse

3. Observe la construction des phrases avec le mot « qui ».

4. Participe au forum.
a. Rédige une annonce pour le site.
b. Lis ton annonce à la classe.
c. Réponds à l'annonce d'un élève.

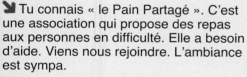

LES QUALITÉS ET LES DÉFAUTS

○ avoir bon caractère / avoir mauvais caractère

○ être dynamique – travailleur / paresseux
créatif – intelligent / stupide
sérieux / pas sérieux
patient / impatient
courageux / peureux

○ être sympathique / antipathique
décontracté / stressé
drôle / triste
gentil / pas gentil
simple / compliqué

○ aimer les contacts / être timide

Caractériser les personnes ou les choses

1 Observe ci-dessus les différentes façons de caractériser les mots soulignés.

2 Ajoute les adjectifs entre parenthèses et accorde-les.

a. À Saint-Tropez Lucas a rencontré une femme *(jeune, sympathique)*.
b. Elle a un bateau *(blanc, grand)* et elle fait des voyages *(long, passionnant)* autour du monde.
c. Tous les ans elle découvre un pays *(nouveau)*.
d. Elle a beaucoup de choses *(intéressant)* à raconter.

3 Ajoute l'information entre parenthèses en utilisant « qui ».

a. Paul est un professeur de biologie. *(Il travaille à l'université.)*
b. Il habite un bel immeuble. *(Cet immeuble est dans le centre ville.)*
c. Il a une compagne. *(Elle joue du piano.)*
d. Il connaît Flore et Antoine. *(Flore et Antoine sont mes meilleurs amis.)*
e. Nous passons nos vacances à Gordes. *(Gordes est un village de Provence.)*

4 Complète avec « c'est » ou « elle est ».

○ Vous connaissez Victoria Martinez ?
– ... la nouvelle directrice d'Alpha Voyages ?
○ Oui, ... est très intelligente et très dynamique.
– On dit que ... une femme très professionnelle. Elle est espagnole, non ?
○ Oui, ... une Espagnole de Séville. Avec elle, les choses vont changer !

Pour caractériser une personne ou une chose

1. « être » + adjectif
– *Pierre est sympathique.*

2. Nom + adjectif
– *Elle a rencontré un beau garçon sympathique.*
NB : les adjectifs « beau », « bon », « grand », « petit », « jeune », « vieux », « nouveau », « joli » sont souvent placés avant le nom.
Les adjectifs de couleurs et les adjectifs de nationalités sont toujours placés après le nom.

3. Nom + « de » + nom
– *Marie fait des études de piano.*

4. construction avec « qui »
– *Je connais un garçon qui travaille à la télé.*
(Je connais un garçon. Il travaille à la télé.)
– *J'ai lu un livre qui m'a intéressé.*
(J'ai lu un livre. Il m'a intéressé.)

5. « C'est » ou « Il est » / « elle est »
« C'est » présente une personne ou une chose. Il est suivi d'un nom avec un article.
« Il/elle est » caractérise une personne ou une chose.
– *Tu connais Pierre ?*
– *Oui, c'est un garçon sympathique. Il est très intelligent. Il est professeur au lycée Victor-Hugo. C'est un bon professeur.*

Donner des ordres ou des conseils

> Ne lui parle pas d'Estelle !

> Écoute-moi ! Suivons-les ! Ne les perdons pas ! Regarde-la, elle lui tient la main. Prends-les en photo !

> Ils nous ont vus ! Parlons-leur ! Demandons-leur s'ils vont se marier. Donne-moi le micro.

1 Transforme les phrases du dessin comme dans l'exemple.

Exemple : *Écoute-moi !→ Tu dois m'écouter.*

2 Insiste comme dans l'exemple.

Julien est amoureux de Roxane mais il est timide. Une amie lui donne des conseils
Exemple : *Tu dois téléphoner à Roxane.→ Téléphone-lui !*
a. Tu dois inviter Roxane au restaurant. → ...
b. Tu dois envoyer des messages à Roxane. → ...
c. Tu ne dois pas refuser ses invitations. → ...
d. Tu dois supporter ses amis. → ...
e. Tu dois tout me raconter. → ...

L'impératif avec un pronom

1. À la forme affirmative
Tu dois m'écouter. → *Écoute-moi !*
Écoute-moi !   Écoute-nous !
Écoute-le ! / Écoute-la !   Écoute-les !
Parle-moi !   Parle-nous !
Parle-lui !   Parle-leur !

2 À la forme négative
Tu ne dois pas l'écouter. → **Ne** *l'écoute* **pas** *!*
Ne m'appelle pas !   Ne l'appelle pas !
Ne me parle pas !   Ne leur parlez pas !

3 Réponds comme dans l'exemple.

Un ami difficile
Exemple : *Je peux utiliser ta moto ?→ Oui, utilise-la.*
a. Je peux écouter tes CD ? → Oui, ...
b. Je peux enregistrer ce film ? → Oui, ...
c. Je peux regarder tes photos sur ton portable ? → Non, ...
d. Je peux inviter mes amis chez toi ? → Non, ...

À l'écoute de la grammaire

1 Écoute. Recopie le tableau dans ton cahier et écris le nom de la personne dans la bonne colonne.

C'est une femme.	C'est un homme.	On ne sait pas.
chanteuse	directeur	artiste
...	...	...

2 Masculin et féminin. Écoute la différence.

Discours politique
Travailleurs, travailleuses !
Ouvriers, ouvrières !
Étudiants, étudiantes !
Infirmiers, infirmières !
Serveurs, serveuses de tous les pays !
Levez-vous !

Histoire
de famille

1 Dans la maison de Nathalie Le Gall, à Saint-Malo.

Camille : Explique-moi pourquoi vous êtes tous fâchés dans la famille.

Nathalie : Thierry et Mathilde ne t'ont pas raconté ?

Camille : Pas vraiment.

Nathalie : Bon, d'abord, tout a commencé à cause de la politique. Ton père, qui était de gauche, ne s'entendait pas avec Thierry, qui était de droite.

Camille : Ça a bien changé.

Nathalie : C'est vrai. Et puis, il y avait Hélène.

Camille : La copine de Thierry ?

Nathalie : De Thierry et de ton père. Ils étaient tous les deux amoureux d'elle. Elle ne pouvait pas se décider.

Camille : Et mon père est parti à cause de ça.

Nathalie : Oui, après la mort de nos parents.

Camille : Mais, Mathilde et toi, vous n'avez rien à voir dans cette histoire ?

Nathalie : Non, mais à la mort de nos parents, Mathilde voulait la maison de famille.

Camille : Et c'est toi qui as hérité.

Nathalie : Et elle l'a mal accepté.

Camille : Tout ça est stupide.

Nathalie : Je suis d'accord.

Camille : Pourquoi on n'invite pas tout le monde ici pour Noël ?

Nathalie : On peut essayer.

Activités

🎧 **1.** Écoute la scène 1. Explique pourquoi les membres de la famille Le Gall sont fâchés.

a. Thierry et ... sont fâchés parce que ... .
b. Nathalie et ... sont fâchés à cause de ... .

2. Raconte ce qu'a fait chaque membre de la famille après la mort des parents.

3. Imagine le message que Camille envoie :
– à Thierry et à Mathilde ;
– à son père.

🎧 **4.** Écoute la scène 2. Recopie le tableau dans ton cahier et complète.

	Nathalie	Thierry	Mathilde
Quel est son problème ?	...	...	...
Qui l'aide à résoudre son problème ?	...	...	...
Comment ?	...	...	...

2 Le jour de Noël.

Thierry : Alors, tu repars bientôt en Afrique ?

Nathalie : Malheureusement non. C'est fini. Mes missions dans les parcs naturels n'intéressent plus personne.

Thierry : Écoute, j'ai un copain au ministère de la Recherche. Prépare-lui un dossier et appelle-le de ma part. Je te donne son téléphone personnel.

Nathalie : Mais il ne me connaît pas.

Thierry : Je dîne avec lui demain. Je vais lui parler de toi.

Transcription → p. 143

Camille : S'il vous plaît, un peu de silence… Votre frère, François, vous parle de Nouvelle-Calédonie.

Mathilde : Oh, c'est François ! On peut lui parler ?

5. Par groupe de quatre imaginez le dialogue entre François, son frère et ses sœurs.

🔊 PRONONCIATION

Différencie et prononce [ø] et [œ].

Recette pour un roman policier

Dans un immeuble de banlieue
Installez un vieux professeur,
Un docteur mystérieux
Qui vit avec son neveu et sa sœur,

Une chanteuse aux cheveux bleus
Amoureuse d'un jeune acteur
À neuf heures vingt-deux
Organisez un meurtre
Et faites entrer un inspecteur
Curieux et courageux

À chacun son style

Aujourd'hui, au lycée, on est libre de s'habiller comme on veut. Mais cela ne veut pas dire que les vêtements n'ont pas d'importance. Au contraire, on s'habille pour être comme les autres, pour être différent des autres ou pour ressembler aux images des magazines de mode.

LES DÉCONTRACTÉS

Elles portent un jean, un chemisier coloré, un pull gris ou noir et des bottes. Pour lui, c'est un jean, un tee-shirt et des baskets.
Ils s'habillent simplement mais ils surveillent les couleurs, choisissent certaines marques et les filles se maquillent légèrement. Ils écoutent aussi bien du rap que les chansons de Lady Gaga.

LES SPORTIFS

Ils sont en survêtements tous les jours de la semaine et portent une casquette en été et un bonnet en hiver.
Le sport, c'est leur vie : ils regardent les matches à la télé, parlent foot ou rugby à la récré et pratiquent tous un sport. Les week-ends on les voit sur les stades ou dans les salles de sport.

LES « BOURGES »

Ils suivent la mode, s'habillent « classe » et achètent des vêtements de marque, chers de préférence. Pour les mariages et les réunions familiales, les garçons adorent porter un costume et les filles une robe et des bijoux. Le samedi soir, quand les parents sont absents, ils organisent des fêtes dans leurs grands appartements ou leurs maisons de campagne.

LES GOTHIQUES

Ils sont en noir de la tête aux pieds : robe ou jupe courte pour elle, pantalon étroit et veste ou long manteau pour lui. Ils portent de grosses chaussures, des colliers et des bagues à tête de mort. Ils restent entre eux, aiment les films d'horreur et écoutent du « métal ».

LES ORIGINAUX

Ils peuvent porter un tee-shirt publicitaire qu'ils ont eu gratuitement et un jean à 15 euros. Ils mélangent les styles et les couleurs, aiment les vêtements ethniques, les chapeaux et les foulards. Ils aiment les festivals comme les Vieilles Charrues et sont souvent écologistes.

(4)

(5)

1 Associe chaque photo à un style.

2 Lis le texte. Recopie le tableau dans ton cahier et complète-le pour chaque style.

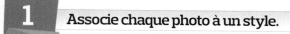

	Les décontractés	...
les vêtements des filles		
les vêtements des garçons		
le comportement		
les goûts		

3 Compare avec les styles des jeunes dans ton pays.

4 🎧 Lis le tableau « Décrire une personne ». Écoute. Trouve sur les photos de quelle personne on parle.

5 Décris une personne de ta classe ou de ton école. La classe doit trouver de qui tu parles.

Décrire une personne

• Le physique
être grand, petit, de taille moyenne
mesurer 1 m 70 – faire 1 m 70
avoir les cheveux bruns / blonds / châtain / roux –
être brun (brune) / blond (blonde) / roux (rousse)
avoir les yeux bleus / marron / noirs...
être beau – avoir du charme
être mince – rond (gros)

• Les couleurs
blanc – noir – bleu – violet – vert – jaune – orange –
rouge

• Les vêtements
porter... – mettre...
– un costume (pour lui)
– une robe – une jupe – un chemisier (pour elle)
– un pantalon – une veste – une chemise –
une cravate – un tee-shirt – un pull
– des chaussures – des chaussettes
– un chapeau – une casquette – une écharpe –
un foulard
– un vêtement long / court – large / étroit

→ Projet
En petits groupes, créez un jeu : « Qui est-ce ? –
Découvre le personnage mystérieux ».

Je me fais des amis

1   Tu comprends des informations sur les études et la famille.

🎧 **Deux jeunes Français font connaissance dans le train. Recopie le tableau dans ton cahier et note les informations.**

Informations sur...	Laura	Walid
La mère	...	
Le père		
L'école / le lycée		
Les résultats scolaires		
Les projets		

2   Tu peux raconter un souvenir.

Tu as vu cette scène dans ta ville. Tu la racontes sur Facebook.

3   Tu sais utiliser les pronoms.

**a. Thomas, un de tes amis, est à l'étranger. Une copine te pose des questions sur lui.
Réponds en utilisant un pronom.**

Thomas t'écrit ?   – Oui, ...
Il te téléphone souvent ?   – Non, ...
Il écrit à ses amis ?   – Oui, ...
Il téléphone à son frère ?   – Oui, ...
Et toi, tu téléphones à Thomas ? – Oui, ...

b. Pierre s'est disputé avec Élise. Il te demande conseil. Réponds en utilisant un pronom.

Est-ce que je téléphone à Élise ?   – Non, ...
Est-ce que j'écris à Elise ?   – Oui, ...
Est-ce que je parle à ses amies ?   – Oui, ...
Est-ce que j'invite Elise et ses amies
à mon anniversaire ?   – Oui, ...
Est-ce que je t'invite aussi ?   – Oui, ...

Transcriptions

On trouvera ici la transcription des activités d'écoute de la partie non transcrite des scènes des pages « Simulations », ainsi que des parties non transcrites des exercices de prononciation.

 Leçon 0

Page 10 – Activité 3 – Écoute et répète l'alphabet.
A – B – C – D – E – F – G – H – I – J – K – L – M – N – O – P – Q – R È – S – T – U – V – W – X – Y – Z

 Leçon 1

Page 20 – Activité 1 – Écoute. Ils se présentent. Complète le tableau dans ton cahier.
1. Bonjour. Je m'appelle Carolane. J'habite à Montréal au Québec. Je suis étudiante. J'aime le cinéma, les cafés et les fêtes.
2. Je m'appelle Adrien. J'habite à Bruxelles en Belgique. Je suis serveur dans un restaurant. J'aime la musique.
3. Bonjour. Je m'appelle Nadia. J'habite à Abidjan en Côte d'Ivoire. Je suis étudiante en médecine. J'aime chanter et danser.

Page 20 – Activité 2 – Écoute. Voici des pays où le français est très utilisé. Trouve ces pays sur la carte. Classe-les.
le Sénégal ; la Suisse ; l'Égypte ; les Antilles ; l'Algérie ; le Canada ; la Belgique ; la Tunisie ; le Maroc ; le Liban ; la Martinique ; la Guyane ; l'île de la Réunion.

Page 22 – Activité 2 – Écoute. Note l'utilisation de Tu et de Vous.
1. *L'actrice :* Comment tu t'appelles ?
L'enfant : Louis.
2. *L'homme :* Tu connais Gérard ?
La femme : Non. Bonjour Gérard.
3. *Le journaliste :* Vous parlez français ?
L'actrice : Un peu.
4. *L'homme :* Excusez-moi, vous êtes Pierre Duroc ?

Page 23 – Activité 3 – Interrogation ou affirmation. Recopie le tableau dans ton cahier et coche la bonne case.
1. Je m'appelle Laura.
2. Je comprends le français.
3. Vous êtes français ?
4. Ah, vous êtes italien.
5. Vous habitez Rome ?
6. Vous êtes professeur ?

Page 25 – Scène 3 – Le 3 juillet, à la cafétéria.
Sarah : Bonjour ! Je suis Sarah, la prof de chant.
Tous : Bonjour !
Sarah : Tout va bien ? Le café est bon ?
Lucas : Très bon.
Sarah : Et les croissants ?
Lucas : Excellents !
Sarah : Alors, à bientôt.
Tous : Au revoir.
Noémie : Je peux ?
Lucas : Bien sûr !

Page 26 – Activité 1 – Écoute et retrouve les mots sur les photos. Note les sons difficiles. Observe les correspondances. Note-les dans le tableau.
un café ; un restaurant ; un hôtel ; taxi ; un garage ; un cybercafé ; parking ; une crêperie ; une université ; un cinéma ; un centre culturel ; une banque.

 Leçon 2

page 31 – Activité 2 – Note si le mot est masculin (M) ou féminin (F).
1. un chanteur ; **2.** une rue ; **3.** un cinéma ; **4.** un garage ; **5.** une boutique ; **6.** une île ; **7.** une avenue ; **8.** un avion ; **9.** un artiste ; **10.** une étudiante

Activité 3 – Note si le mot est singulier ou pluriel.
1. une ville ; **2.** des rues ; **3.** la rue Victor-Hugo ; **4.** les boutiques ; **5.** le restaurant italien ; **6.** les amis de Marie ; **7.** des étrangers ; **8.** des étudiants ; **9.** un chanteur ; **10.** une actrice

Page 32 – Scène 1 – Le 4 juillet. Les stagiaires travaillent avec le professeur de danse.
Le professeur : On arrête ! Ça ne va pas !
Tous : Qui ?
Le professeur : Les garçons. Vous n'avez pas le rythme.
Lucas : C'est difficile.
Le professeur : Mais non, ce n'est pas difficile. Écoutez et regardez ! Musique ... 1, 2, 3, 4, 5, 6, 7, 8. 1, 2, 3... Ça va ?
Lucas : Ça va.
Le professeur : Allez, au travail. On répète !

Page 33 – Prononciation – 2. Distingue « j », « j'ai », « j'aime ».
1. J'aime le cinéma. – **2.** J'ai des DVD. – **3.** Je regarde les films à la télévision. – **4.** Je lis beaucoup. – **5.** J'ai beaucoup de livres. – **6.** J'aime lire. – **7.** J'ai des amis français. – **8.** Je suis Canadienne

Page 35 – Activité 2 – Écoute. Chaque candidat se présente. Complète le tableau.
Le présentateur : Catégorie adultes nous accueillons Élodie. Élodie est de Bordeaux et elle est pharmacienne. C'est ça Élodie ?
Élodie : Oui, c'est ça. J'ai 28 ans. Je suis célibataire.
Le présentateur : Et vous aimez chanter...
Élodie : Oui.
Le présentateur : Quel est votre chanteur préféré ?
Élodie : Florent Pagny.
Le présentateur : Très bien....et avec Élodie, nous accueillons Paul. Bonjour Paul.
Paul : Bonjour !
Le présentateur : Vous vous présentez...
Paul : Oui, je m'appelle Paul. Je suis agriculteur dans un petit village, en Bourgogne. Le village s'appelle Saint-Vincent. J'ai 35 ans. Je suis marié. J'ai un enfant. J'aime lire et je joue du piano. Voilà.
Le présentateur : Parfait. Et maintenant, place au jeu....
Le présentateur : Et maintenant voici les candidats catégorie « jeunes ». Voici Arthur. Tu te présentes Arthur...
Arthur : J'ai 16 ans. Je suis élève au lycée professionnel de Nantes. Spécialité hôtellerie. Je voudrais être cuisinier. J'adore la cuisine. J'aime aussi le tennis et le foot.
Le présentateur : Très bien....et voici maintenant Nadia, une Parisienne...Nadia a 17 ans...Tu es au lycée Nadia ?
Nadia : Oui, au lycée Racine.
Le présentateur : Et tu aimes quoi ?
Nadia : Les voyages.
Le présentateur : Quels voyages ?
Nadia : Les grands voyages : la Chine, l'Australie... J'aime les langues étrangères. Je voudrais être interprète.
Le présentateur : Bravo. Alors on applaudit Nadia et Arthur....

 Leçon 3

Page 36 – Activité 2 – Écoute. Une lycéenne parle de ses activités. Note-les.
Thomas : Salut Emma !
Emma : Salut !
Thomas : Qu'est-ce que tu fais après le cours ?
Emma : Je travaille. J'ai un contrôle de maths demain.
Thomas : Et samedi après-midi ?
Emma : Samedi après-midi, je fais du basket. J'ai un match.
Thomas : Et dimanche ?
Emma : Je vais à la montagne. Je fais une randonnée avec ma famille.
Thomas : Tu aimes la randonnée ?
Emma : Ben non. Je préfère le ski ou le VTT.
Thomas : Ah, tu fais du ski et du VTT ?
Emma : Oui, en vacances.
Thomas : Tu es une sportive, toi !

Page 39 – Activité 2 – Le rythme des groupes « verbe + verbe ».
Pas d'accord
Il aime faire du tennis ... Moi, j'aime faire du volley
Il voudrait aller au cinéma... Je voudrais aller au concert
Il aime travailler le jour.... J'aime travailler la nuit
Il n'aime pas du tout danser. ...J'aime danser toute la nuit

Page 40 – Scène 1 – Le 12 juillet à la Cité universitaire.
Noémie : Lucas, c'est nous !
Lucas : Entrez.
Mélissa : On va faire un jogging. Tu viens avec nous ?
Lucas : Je ne peux pas. Je travaille.
Mélissa : Qu'est-ce que tu fais ?
Lucas : J'apprends le rôle de Quasimodo.
Mélissa : Toi aussi !

Page 41 – Prononciation – 3. Le rythme de la phrase négative. Réponds. Répète la réponse.
○ Lucas va avec Noémie et Mélissa ?
– Non, il ne va pas avec elles.
○ Lucas sait le rôle de Quasimodo ?
– Non, il ne sait pas le rôle de Quasimodo.
○ Florent aime l'accro branche ?
– Non, il n'aime pas l'accro branche.
○ Lucas a le rôle de Quasimodo ?
– Non, il n'a pas le rôle de Quasimodo.
○ Noémie est française ?
– Non, elle est canadienne.

 Leçon 4

Page 47 – Activité 5 – Écoute. Complète ces informations.
1. – Allo, le cinéma Forum ?
– Oui Monsieur.
– À quelle heure commence le film « Le jour d'après » ?
– Il y a une séance à 14h30 et une à 18h15.
– Merci madame.
– Au revoir.
2. – Bibliothèque André Malraux, bonjour !
– Je voudrais savoir... La bibliothèque, elle ouvre à quelle heure ?
– La bibliothèque est ouverte du mardi au samedi de 10h à 18h.
– Du mardi au samedi de 10h à 18h. Très bien. Merci.
– Au revoir monsieur.

Transcriptions

**À l'écoute de la grammaire – Activité 1 –
Distingue le présent et le passé.**

1. J'aime les films historiques. – **2.** Je suis allée
au cinéma. – **3.** J'ai vu « Marie-Antoinette ». –
4. C'est un bon film. – **5.** Pierre est venu avec
moi. – **6.** Il n'a pas aimé le film. – **7.** Il préfère les
films policiers.

**Page 49 – Scène 2 – Après le spectacle,
à Montmartre.**

Sarah : Félicitation à tous !
Lucas : Florent, tu as été génial !
Florent : Toi aussi Lucas.
Lucas : Et vous tous aussi. Bravo !
Sarah : Alors à votre santé !
Florent : À la musique !
Mélissa : À la danse !
Lucas : À l'amour !
Noémie : Et à Paris ! Aux Champs-Elysées,
aux Champs-Elysées, À midi....
Lucas : Excusez-moi. J'ai un SMS.
Mélissa : Moi aussi !

**Page 50 – Activité 2. – Écoute. Louis interroge
Emma sur ses activités. Corrige les erreurs
et complète l'emploi du temps.**

Louis : Tu as beaucoup de cours aujourd'hui ?
Léa : Oui, je commence à 8 h avec une heure
de math...puis, j'ai deux heures de français
Louis : Deux heures !
Léa : Oui, mais c'est avec Madame Robinson.
Elle est bien....Après, j'ai géographie, de 11 h à
midi..... Puis je vais à la cantine. L'après midi je
commence à 13 h avec deux heures d'espagnol....
Puis, une heure de physique et ouf, la journée
est finie !
Louis : Tu rentres chez toi ?
Léa : Non je vais à la danse de 17 h à 19 h.
Louis : Demain, c'est samedi. Tu as des cours le
matin ?
Léa : Eh oui, deux heures d'anglais européen,
de 8 h à 10 h
Louis : Qu'est-ce que tu fais après ?
Léa : J'achète un cadeau pour ma copine Emma.
Puis je travaille. J'ai des devoirs.
Louis : Et le soir ?
Léa : Je suis invitée chez Emma. Elle fait une
soirée.
Louis : Et dimanche ?
Léa : Je dors jusqu'à midi.
Louis : On peut faire un tennis l'après midi ?
Léa : D'accord.

 Entraînement

**Page 52 – Activité 3a – Écoute. Fais correspondre
chaque question avec un mot de la fiche.**

Exemple : Quelle est votre profession ?
a. Où est-ce que vous habitez ?
b. Vous vous appelez comment ?
c. Vous parlez quelles langues ?
d. Vous êtes né(e) quand ?
e. Vous avez une adresse courriel ?

**Activité 3b – Écoute. Fais correspondre
l'information avec un mot de la fiche**

Exemple : Mon nom, c'est Martin.
a. Voici mon numéro de téléphone : 01 52 26 33 33
b. Je suis né(e) en Belgique, à Bruxelles.
c. Je suis belge.
d. Mon prénom c'est François.
e. Je suis professeur de musique.

Leçon 5

Page 59 – À l'écoute de la grammaire – Activité 1
Déclaration
Tu es le plus sympa de tous ...
le plus curieux ... le plus mystérieux ...
le plus fou ... le plus jaloux ...
Tu es mon plus beau souvenir !

Page 61 – Scène 3
Antoine : Regardez ces paysages.... Cette rivière...
Ce petit lac.... C'est pas beau ?
Julie : Si, mais qu'est-ce qu'on va faire là-bas ?
Antoine : On peut faire du VTT...
Julie : Ah non, pas de VTT !
Antoine : Tu n'aimes pas le VTT ?
Julie : Non.
Antoine : Pourquoi ?
Julie : Parce que c'est trop fatigant !
Antoine : Ou du canyoning...
Julie : C'est trop dangereux.
Antoine : Alors on peut faire de petites
randonnées. Et puis le soir, avec les jeunes du
village, on fait la fête.
Julie : Ah, ça, c'est plus intéressant.

**Prononciation – 1. Les sons [b], [v], [f]. Coche le son
que tu entends.**

1. Il va... – **2.** À Cambo... – **3.** C'est bien. – **4.** À
Bayonne... – **5.** Ils vont... – **6.** à la fête – **7.** Il a le
bac – **8.** avec... – **9.** mention bien – **10.** Elle fait... –
11. du VTT... – **12.** dans la forêt

**Page 63 – Activité 3 – Écoute. Fais correspondre
chaque scène à une photo.**

a. – Bonjour Monsieur.
– Bonjour. Nous avons deux places sur le vol pour
Marseille de 14h. On voudrait partir avant.
– Je regarde.....Oui, il y a de la place sur le vol de 11 h.
J'annule les réservations pour 14 h ?
– D'accord
b. – Excusez-moi. C'est bien votre place
– Euh, je pense que oui. J'ai la place 76.
– Moi aussi. J'ai la place 76, voiture 3. Votre place
c'est bien dans la voiture 3 ?
– Euh, ben non, voiture 4. Excusez-moi. C'est
bien votre place.
– Ce n'est pas grave.
c. – Bonjour, contrôle des billets ... Ah, vous n'avez
pas composté Madame.
– Oh, j'ai oublié ! Excusez-moi
d. – Bonjour Monsieur. Pour aller à Versailles, il y
a le métro ?
– Non, il y a le RER. Vous allez où ? Au Château de
Versailles ?
– Oui.
– Alors vous prenez le métro jusqu'à la station
Gare d'Austerlitz. Là, vous changez et vous
prenez le RER, ligne C, Château de Versailles.

Leçon 6

**Page 64 – Activité 2 – Écoute. Ils commandent
leur sandwich. Note ce qu'ils prennent dans le
tableau.**

1. « Comme pain : un pain de mie... du poulet... de
la salade verte ... des tomates ... pas de sauce et
une eau minérale, s'il vous plaît. »
2. « Pour moi, du pain de campagne avec du
jambon ... de l'œuf ... des concombres ... des olives
et comme sauce de la mayonnaise et je voudrais
aussi des chips. »

3. « Dans une baguette tradition, s'il vous plaît,
du bœuf... de la salade... des champignons ...
des tomates et comme sauce de la moutarde.
Je voudrais aussi une tarte aux pommes. »

**Page 68 – Scène 1 – Dans la voiture bar du TGV
Paris-Bayonne.**
Le serveur : Qu'est-ce que vous prenez ?
Clara : Un sandwich-club.
Julie : Le mini délice, c'est quoi ?
Le serveur : Du poulet, de la salade, de la tomate...
Julie : C'est comme le club, alors.
Le serveur : Ah non, c'est différent. Ce n'est pas
le même pain et c'est plus petit.
Julie : Plus petit ! Ah non, j'ai trop faim. Je prends
un Club moi aussi.
Le serveur : Et comme boisson ? Qu'est-ce que
vous voulez ? Du coca ? De l'eau minérale ?
Julie : Une eau gazeuse.

Prononciation
1. Préférences
Moi, j'aime la glace, la glace à la vanille
Pierre adore les tartes, les tartes aux pommes
Moi, j'adore la salade, la salade de tomates
Pierre aime la soupe, la soupe de légumes.
Moi, je mange du bœuf, du bœuf aux carottes
Pierre mange des saucisses, des saucisses
grillées.

page 70 – Activité 1
Écoute. Une journaliste pose des questions à
des Français. Pour chaque personne interrogée,
complète le questionnaire.

Le journaliste : Qu'est-ce que vous mangez aux
trois repas ? Et d'abord, est-ce que vous faites
trois repas ?
Un jeune homme : Non, le matin je prends un café
et j'aime bien prendre ce café dans un café.
Le journaliste : C'est tout ?
Le jeune homme : Oui, mais je commence à
travailler à 9h et à midi je vais déjeuner à la
cantine. Là, je fais un repas complet : une entrée,
un plat de viande ou de poisson et un dessert...
Le journaliste : Et le soir ?
Le jeune homme : Le soir, je n'aime pas dîner
chez moi parce que je suis seul. Je préfère aller au
restaurant ou alors, avec des copains, on achète
une pizza et on va chez moi ou chez un copain.
Le journaliste : Et vous madame ?
Une femme : Moi, c'est différent. Le matin je
prends un bon petit déjeuner : du thé, des céréales
avec du lait et un jus d'orange. Et mes enfants
aussi prennent un bon petit déjeuner.
Le journaliste : Ah, c'est bien, ça !
La femme : Oui, je vérifie.
Le journaliste : Vous prenez le petit déjeuner
ensemble ?
La femme : Non, moi en premier, puis les enfants
parce qu'ils partent au collège et au lycée à sept
heures et demie. Et le dernier, c'est mon mari !
Le journaliste : Et pour les autres repas ?
La femme : À midi je déjeune au restaurant.
Et c'est tous les jours salade, avec du poulet
ou du fromage ou du jambon.
Le journaliste : Et vos jeunes ?
La femme : Ils mangent à la cantine ou alors ils
mangent un sandwich au café avec des copains
ou ils vont au Mac Do. Je n'aime pas trop mais
eux oui.
Le journaliste : Le soir vous mangez en famille ?
La femme : Oui, tous ensembles à 8 h. On fait un
vrai repas : avec une entrée ou une soupe, un
plat, du fromage et un fruit.

Leçon 7

Page 75 – À l'écoute de la grammaire – Activité 1 – Distingue la conjugaison pronominale.

a. Paul lave sa voiture. – **b.** Les enfants se lavent. – **c.** Fanny promène son chien. – **d.** Hélène et Florent se promènent sur les Champs-Elysées. – **e.** Vous réveillez les enfants à quelle heure ? – **f.** À quelle heure vous vous réveillez ? – **g.** Marie se prépare. – **h.** Pierre prépare le café.

Activité 2 – Rythme des phrases impératives. Transforme comme dans l'exemple et répète la réponse.

Exemple : Tu dois te réveiller → Réveille-toi !
a. Tu ne dois pas dormir. → Ne dors pas !
b. Vous devez vous lever. → levez-vous !
c. Nous devons nous préparer. → Préparons-nous !
d. Nous ne devons pas être en retard. → Ne soyons pas en retard !
e. Nous devons arriver à l'heure. → Arrivons à l'heure !

Page 77 – Scène 3 – À la fête de Bayonne.

Le vendeur : Tee-shirts, foulards, bérets ! Tout pour la fête et c'est pas cher !
Pauline : C'est combien le béret ?
Le vendeur : Six euros.
Pauline : Et le foulard ?
Le vendeur : Quatre euros.
Pauline : On voudrait quatre bérets et quatre foulards. Vous pouvez faire une petite réduction ?
Le vendeur : Non, mais j'offre le foulard aux demoiselles.
Clara : Ah, c'est sympa. Merci !
Le vendeur : Alors, ça fait quatre fois six : vingt-quatre et huit, trente-deux.
Pauline : J'ai un billet de cinquante euros. Vous avez la monnaie ?
Le vendeur : Pas de problème.
Antoine : Attends, c'est à nous de payer. Ça fait 8 euros chacun.
Clara : Non, dix euros pour vous les garçons et six euros pour nous. Parce que pour nous, le foulard, il est gratuit.

Page 79 – Activité 2 – Observe les photos et écoute les phrases.

a. Voici votre addition. – **b.** Il fait combien ce vase ? – **c.** Une baguette, s'il vous plaît. – **d.** Bonjour, je voudrais deux entrées.

Activité 3 – Écoute les scènes complètes. Compare avec tes productions.

Scène a
– Voici votre addition.
– C'est pour moi.
– Ah non, pas question !
– Alors on partage.
– J'ai envie de t'inviter...
– Une autre fois. Aujourd'hui on partage.
– Ca fait combien ? 48 euros. Donc 24 chacun.
– Tiens, voilà 24 euros.

Scène b
– Il fait combien ce vase ?
– 250 euros.
– C'est cher 250 euros !
– C'est un très beau vase.
– Oui mais regardez ici, il est abîmé.
– C'est pas grand-chose.
– Vous pouvez faire une petite réduction ?
– 250 euros. Pas moins.
– 200 ? Allez !
– 200, mais c'est mon dernier prix !
– D'accord.

Scène c
– Une baguette, s'il vous plaît.
– 85 centimes .... Oh la, la, un billet de 50 euros ! Vous n'avez pas plus petit ?
– Je regarde mais je ne pense pas : 20 centimes, 40...
– Mais si, vous avez la monnaie.
– Voilà 90 centimes.
– Et je vous rends cinq centimes. Merci. Vous êtes gentille !

Scène d
– Bonjour, je voudrais deux entrées.
– Plein tarif ou tarif réduit ?
– Je ne sais pas. Le tarif réduit, c'est pour qui ?
– Moins de 18 ans, étudiants, demandeurs d'emploi.
– Et c'est combien ?
– 10 euros le plein tarif et huit euros le tarif réduit.
– Alors deux places << étudiants >>.
– Vous avez une carte d'étudiante ?
– Oui... Eh, Yokiko, ta carte d'étudiante !

Activité 4 – Écoute et trouve la situation.

1. Je voudrais changer 500 dollars en euros. – **2.** Un aller retour pour Strasbourg, s'il vous plaît. – **3.** On voudrait quatre entrées pour l'exposition : deux adultes, deux enfants de 9 et 12 ans. – **4.** Une place pour le film << Marie-Antoinette >> s'il vous plaît. – **5.** Il coûte combien ce portable ?

 Leçon 8

Page 80 – Activité 2 – Écoute l'agent immobilier. Elle présente une villa du Parc à des clients. Indique le nom des pièces sur le plan.

<< C'est ici ... Voilà, c'est une maison en rez-de-chaussée, au milieu d'un jardin. Ici vous avez l'entrée et à gauche un garage... On va entrer .... Excusez-moi, je passe devant vous... Alors, on entre dans un couloir et à gauche vous avez un très grand salon avec de grandes fenêtres. Il fait 40 m². En face c'est la cuisine ... On continue dans le couloir, on tourne à droite et là, à gauche, vous avez les toilettes puis la salle de bain, puis une chambre ... et à droite deux chambres et un petit bureau. >>

Page 83 – Activité 5 – Écoute. Antoine est à la gare. Il appelle Marie. Elle explique à Antoine comment aller chez elle. Dessine l'itinéraire et les indications de lieux.

Antoine : Allo, c'est Antoine. Je suis à la gare.
Marie : Très bien ... Je t'explique. Devant toi tu as une avenue avec des arbres. C'est l'avenue de la gare.
Antoine : D'accord, je vois.
Marie : Tu prends cette avenue et tu vas tout droit. Tu fais 200 m jusqu'à une place : la place Georges Bizet. À droite tu vas voir une église. Ça va ?
Antoine : Ça va. Je suis.
Marie : Tu prends à droite, tu passes devant l'église et tu continues jusqu'à la deuxième rue à gauche. Tu tournes dans cette rue. C'est ma rue : la rue des poètes. J'habite au n° 27. Tu as compris ?
Antoine : Place Georges Bizet. À droite dans la rue de l'église. Deuxième rue à gauche, au n° 27.
Marie : C'est ça. À tout de suite.

À l'écoute de la grammaire. – Activité 2 – Note l'adjectif masculin ou féminin.

1. petite – **2.** original – **3.** gratuit – **4.** neuve – **5.** publique – **6.** courte – **7.** normale – **8.** premier – **9.** dernière – **10.** différente

Page 85 – Scène 3 – Au même moment...

La mère : Vous aimez les prunes ?
Julie : J'adore !
Clara : Moi aussi !
La mère : Alors, venez m'aider. Il y a six pruniers derrière la maison. Ça fait 300 kilos de prunes à cueillir. J'ai besoin d'aide !

Page 87 – Activité 3 – Écoute la météo du 1er juillet. Dessine la carte météo de ce jour-là.

Météo pour la journée du 1er juillet
Demain il fait très beau sur la moitié sud de la France et moins beau sur la moitié nord. En Bretagne, en Normandie et en région parisienne quelques nuages le matin mais pas de pluie. Il va faire 21 degrés à Nantes et 23 degrés à Paris. Dans la partie nord il va beaucoup pleuvoir, température à Lille 18 degrés. Beau soleil dans la moitié sud de la France. Il va faire très chaud au bord de la Méditerranée 30 degrés à Marseille et à Nice. À Toulouse, il fait moins chaud avec 25 degrés et il y a un vent très fort.

 Entraînement

Page 88 – Activité 1 – Écoute ces informations. Indique le lieu où on peut les entendre.

1. Votre attention s'il vous plaît. La station Saint-Michel est fermée.
2. Bonjour Mesdames et Messieurs, contrôle des billets.
3. Le TGV 748 à destination de Paris va partir, quai A.
4. Vol 340 à destination de Tokyo. Embarquement immédiat porte 24.
5. Veuillez attacher vos ceintures.
6. Voici la carte. Le plat du jour, c'est du bœuf bourguignon.
7. Votre attention s'il vous plaît. Nous informons les visiteurs que le musée va fermer dans 15 minutes.
8. Aujourd'hui 2 avril. Beau temps sur l'ensemble de la France. Quelques pluies sur les régions montagneuses.
9. Et n'oubliez pas nos promotions sur les articles de sport !
10. Voici votre clé. La chambre 48 est au quatrième étage. Vous avez l'ascenseur à droite.

Page 88 – Activité 4 – Écoute. Pour le 14 juillet, les étudiants étrangers d'une école de langue de Perpignan font une excursion à Carcassonne. Note le programme de la journée sur l'agenda.

<< S'il vous plaît, un peu d'attention. Voici le programme de la journée de demain. Nous partons en car à 9 h précises. Le petit déjeuner est servi à 8 h et demie. Donc il faut se lever à 8 h au plus tard. D'accord ? À 9 h et demie nous arrivons au château de Salses. C'est un très beau château du XVᵉ siècle. Nous visitons Salses et nous repartons à 11 h. À midi, nous nous arrêtons au bord d'un lac pour déjeuner. On prend un pique nique. Vous pouvez vous baigner dans le lac À 2 h nous repartons pour Carcassonne. Nous arrivons à 3 h. De 3 h jusqu'à 5 h nous avons une visite organisée de la vieille ville. À 5 h, vous êtes libres jusqu'au dîner au restaurant. À 8 h, on se retrouve au restaurant. À 10 h, nous allons voir le feu d'artifice. C'est le plus beau de la région. Après vous êtes libres de faire la fête jusqu'à minuit. Le car repart à minuit précise et nous arrivons à Perpignan à 1 h et quart. >>

Page 89 – Activité 6 – Observe le plan d'un quartier de Paris. Tu es en vacances à Paris et tu loges à l'hôtel Rivoli, 44 rue de Rivoli. Une amie t'attend devant le musée de Cluny. Elle explique comment aller à ce musée. Note l'itinéraire sur le plan.

– Estelle ?
– Oui
– Je viens d'arriver
– Tu es où là ?
– À l'hôtel Rivoli
– D'accord, je vois où c'est... Écoute on peut se donner rendez-vous dans une heure devant le musée de Cluny. C'est pas loin de ton hôtel.
– D'accord. Comment je fais, je prends le métro ?
– Non, c'est à un quart d'heure à pied.... Quand tu sors de l'hôtel, tu prends à droite dans la rue de Rivoli...et tu tournes dans la première rue à droite.
– Première rue à droite.
– Tu arrives Place du Châtelet. Tu vas voir, il y a deux théâtres sur cette place. Tu continues tout droit. Tu traverses la Seine sur le pont. Regarde bien, la vue est magnifique. Tu arrives sur l'île de la cité....toujours tout droit ...et tu traverses encore la Seine.
– Ah bon ?!
– Ben oui, parce que tu as traversé l'île. Tu arrives place Saint-Michel et tu continues tout droit jusqu'au boulevard Saint-Germain.
– Ça fait loin ça !
– Non, quelques minutes. Ensuite, tu traverses le boulevard et tu prends la première rue à gauche. Voilà, tu es arrivé ! Ça va ?
– OK !
– Si tu as un problème, appelle-moi.
– D'accord !
– Alors, à tout à l'heure.
– C'est ça. À tout à l'heure.

 Leçon 9

Page 93 – Activité 5 – Lis le tableau « Les moments de la vie ». Écoute. Associe les phrases avec un moment de la vie.

1. Je me souviens de mon premier jour d'école. – 2. L'année prochaine je vais rentrer au lycée. – 3. Mon bébé pleure la nuit. Il me réveille la nuit. C'est difficile. – 4. Nous nous sommes mariés après nos études de médecine. – 5. – J'ai quatre petits– enfants. Ils sont grands maintenant. Ils ont plus de vingt ans. – 6. – Pierre travaille chez Renault depuis 20 ans. – 7. Demain c'est le jour de la Toussaint. Nous allons au cimetière. – 8. – Je me souviens de ma première fête avec les copains.

Page 95 – À l'écoute de la grammaire – Activité 1

1. Tu habites à Marseille. – 2. Tu aimes la mer. – 3. Tu aimais la ville. – 4. Quand tu habitais rue Montmartre... – 5. Je suis venu chez toi. – 6. Marie venait souvent. – 7. Nous habitions tout près. – 8. Nous sommes partis nous aussi. – 9. Mais nous pensons à toi.

Activité 2

Aujourd'hui comme hier
Vous aimez la poésie ... Vous aimiez la poésie
Vous lisez Arthur Rimbaud ... Vous lisiez Arthur Rimbaud
Vous allez au café de Flore ... Vous alliez au café de Flore
Nous parlons du passé ... Nous parlions du futur
Vous prenez un thé citron ... Vous preniez un thé citron

Page 97 – Scène 2 – Fin septembre devant le centre culturel de Nouméa.

Tony : Salut Camille ! Alors, cet examen ?
Camille : J'ai réussi.
Tony : Félicitations ! Une licence de sciences à 21 ans. C'est trop classe ! Et qu'est-ce que tu vas faire maintenant ?
Camille : Continuer mes études à Rennes.
Tony : À Rennes ! En Bretagne ! Tu connais du monde là-bas ?
Camille : Non ... enfin, oui, peut-être. C'est une histoire compliquée. J'ai des oncles, des tantes et peut-être des cousins mais je ne connais personne. Mon père est fâché avec eux depuis vingt-cinq ans.
Tony : Tu n'as pas cherché sur Internet ?
Camille : Si, mais à Rennes, j'ai trouvé cent personnes qui s'appellent Le Gall !
Tony : Eh bien, bon courage !
Camille : Je connais juste une chose : c'est l'adresse de la maison de famille, à Saint-Malo.

Page 99 – activité 2
Écoute le micro-trottoir. Un journaliste pose la question suivante : « En dehors de ta mère et de ton père, quelle a été la personne adulte la plus importante dans ton enfance ? ».

« Moi, c'est mon grand-père maternel. Mes grands-parents habitaient la campagne. J'allais passer les vacances chez eux et mon grand-père avait un grand jardin. On était tout le temps dans le jardin et pour moi ce jardin, c'était une forêt mystérieuse. »

« C'est un ami de mon père. Il travaillait à l'étranger dans les ambassades et tous les trois ans il changeait de pays. Quand il venait à la maison, il avait toujours des histoires à raconter. Je trouvais sa vie passionnante. »

« J'avais une voisine musicienne. Elle jouait du piano. J'écoutais derrière sa porte. J'avais moi aussi envie d'être musicienne. Depuis cette époque j'ai toujours aimé la musique. »

« J'adorais aller chez ma grand-mère. Avec elle, j'ai appris à faire la cuisine. J'aimais aller au marché avec elle, choisir de bons produits pour préparer de bons plats ! Après le bac, je vais faire une école pour être chef cuisinier. »

« Mes parents aiment sortir mais c'est toujours pour aller au cinéma ou au théâtre ou chez des amis. Quand j'avais douze ans j'avais des voisins sportifs. Je me souviens. Le samedi soir, j'allais chez eux voir les matchs de foot à la télé. Et le dimanche, je partais avec eux faire du vélo. »

 Leçon 10

Page 104 – Dans le bureau.

Camille : Bonjour. Je suis Camille Le Gall. Je viens de l'université du Pacifique, en Nouvelle-Calédonie. J'ai envoyé un dossier d'inscription.
La secrétaire : Il y a combien de temps ?
Camille : Il y a deux mois.
La secrétaire : Vous dites : Le Gall.
Camille : Oui, en deux mots.
La secrétaire : C'est bon, je l'ai et il est complet. Il manque juste deux photos.
Camille : Je les ai. Tenez ...

Page 107 – activité 4 b

a. – Je peux t'aider.
– Oui, c'est gentil.
– Tiens bien ma main. Voilà !
– Je te remercie.

c. – Joyeux anniversaire ma chérie !
– Oh, il fallait pas ! C'est trop gentil. Qu'est-ce que c'est ?
– Juste une petite surprise pour ma femme adorée.
d. – C' est pour ça qu' aujourd' hui je suis fatigué. C'est pour ça qu' aujourd' hui je voudrais crier...
– S'il vous plaît...
– Je n' suis pas un héros...
– Monsieur, Monsieur...s'il vous plaît !
– Oui, qu'est-ce qu'il y a ?
– Vous n'êtes pas seul ici !
– Oh, pardon. Je faisais pas attention

 Leçon 11

Page 113 – Scène 2 – Au Conseil Régional de la région Bretagne.

Thierry : Myriam, c'est fini. Elle est partie depuis une semaine.
Le secrétaire : Excusez-moi de vous déranger mais une jeune fille demande si vous pouvez la recevoir.
Thierry : Dites-lui de venir jeudi. Je reçois le jeudi.
Le secrétaire : Elle dit qu'elle s'appelle Le Gall et qu'elle est votre nièce. Elle vient de Nouvelle–Calédonie.
Thierry : Le Gall ? De Nouvelle Calédonie ? Demandez-lui d'attendre cinq minutes. Je vais la recevoir.

Page 115 – Activité 2 – Écoute ces parents d'élèves. Trouve dans quelle école ou dans quelle classe sont leurs enfants. Quel est leur problème ?

« Mon fils est entré en 6ème cette année. C'est dur pour lui. On habite un village à vingt kilomètres. Il doit se lever à 6 heures pour prendre le car. »
« Ma fille n'a pas travaillé cette année. Elle n'a pas réussi au bac. »
« Mon fils est en première année de médecine. Ça va être long. Huit ans d'études ! »
« Ça y est, ma fille a fait sa première journée à l'école. Elle a un peu pleuré dans la cour puis elle a rencontré d'autres petites filles. Quand je l'ai quittée elle était contente. »
« Mon fils a une maîtresse vraiment super. Tous les élèves l'adorent. À Noël, il savait lire. »
« Ma fille n'a pas envie de faire de longues études. Elle, elle veut travailler dans l'hôtellerie. L'année prochaine elle entre dans une école hôtelière. »

Leçon 12

Page 119 – À l'écoute de la grammaire – Activité 1
directeur – chanteuse – artiste – sportive – secrétaire – vendeur – médecin – pharmacien – infirmière – écrivain – journaliste – danseur – étudiante – serveuse – professeur

Page 121 – Scène 2 – Le jour de Noël
Nathalie : Tout se passe bien à Rennes ?
Mathilde : Ça va mais le travail à l'hôpital est dur. J'aimerais revenir à Saint-Malo et m'installer comme infirmière.
Nathalie : Installe-toi ici. C'est grand, bien situé.
Mathilde : Mais Nathalie, c'est ta maison.
Nathalie : Je suis toujours à Paris ou en Afrique. Je viens rarement dans cette maison. J'ai le projet de la vendre.
Mathilde : C'est vrai ?
Nathalie : Achète-la. C'est toi qui fais le prix.
[...]

Mathilde : Alors, le Don Juan de la famille, avec qui tu es en ce moment ?

Thierry : Personne. Et la vie de Don Juan père de famille n'est pas facile. Là, tu vois, je cherche quelqu'un pour s'occuper de Gabriel pendant mon voyage au Japon.

Mathilde : Amène-le chez moi. J'adore les enfants et il s'amusera avec ma fille....

Page 124 – Activité 4 – **Lis le tableau « décrire les personnes ». Écoute. Trouve sur les photos de quelle personne on parle.**

« Pour l'anniversaire de Laura, moi, je mets une robe noire avec un petit décolleté, des boucles d'oreilles, un bracelet et un petit sac en strass blanc...

Elodie, elle, elle met un chemisier blanc à manches courtes, un petit pull jaune sans manche et un bonnet de la même couleur. Elle va porter une jupe courte à grandes fleurs, des chaussettes hautes rayées, de toutes les couleurs. Comme foulard, elle va porter une cravate...

Tu ne connais pas Sébastien ? C'est un nouveau au lycée. Il n'est pas très grand, il fait un 1 m 75, il est brun. Il porte un jean, un tee-shirt rayé violet et blanc et des tennis. Il a toujours un sac à dos.

Jordan... Il est toujours en jogging blanc avec une casquette bleue. Il est très grand. Il fait 1 m 85 peut-être et il porte des baskets blanches...

Pour la soirée d'Olivier, Lola s'habille tout en noir : bas noirs, chaussures noires à talons hauts, une robe noire de danseuse et autour du cou un ruban noir. »

Entraînement

Page 124 – Activité 1

Walid : Tu vas Marseille ?

Laura : Non, à Nîmes.

Walid : Ah ! Nîmes, je connais. Mes parents ont des amis qui habitent à côté des jardins de la Fontaine.

Laura : C'est le quartier bourge, là.

Walid : Ouais, le copain de mon père est directeur d'une banque.

Laura : Je vois...Tes parents aussi sont dans la banque.

Walid : Non, mon père est directeur d'un hypermarché à Marseille et ma mère a une librairie.

Laura : Ça va, ils sont bien tes parents.

Walid : Oui ça va... Ils sont pas trop embêtants.

Laura : Tu veux être dans le commerce ou dans la banque toi aussi ?

Walid : Jamais. C'est la mort ça...Moi là, tu vois, je suis au lycée, en terminale. Mais l'année prochaine, si j'ai le bac évidemment, je pars à San Francisco.

Laura : Rien que ça.

Walid : J'ai un oncle installé là-bas.

Laura : D'accord...Et...le lycée, ça marche ?

Walid : J'ai la moyenne...Mais je vais l'avoir ce bac.

Laura : J'espère pour toi.

Walid : Et toi ? C'est bien Nîmes ?

Laura : Oui, enfin, c'est pas San Francisco.

Walid : Tu es au lycée ?

Laura : Le lycée, c'était l'an dernier. J'ai eu le bac et cette année je prépare une école d'infirmière.

Walid : Infirmière, c'est dur ça !

Laura : Oui mais moi, tu vois, je dois trouver du travail vite. Mon père est malade... Ma mère a arrêté de travailler pour s'occuper de lui...

Walid : Ah bon.

Laura : Ben oui...mais bon...je prends le temps de m'amuser, faut pas croire.

Page 125 – activité 4

1. Émile, c'est le gros. Il porte un costume gris.

2. Amélie est grande. Elle est blonde. Elle a les cheveux courts.

3. Dylan est le seul à porter des lunettes.

4. François est mince et grand. Il porte un pantalon noir, une veste rouge et une cravate.

5. Barbara a des cheveux longs. Elle est brune.

6. Barbara porte une jupe verte et un chemisier blanc.

7. Amélie porte une robe jaune.

8. Claudia porte un chapeau.

9. Dylan est petit. Il porte un jean et une chemise noire.

10. François est le seul à porter la barbe.

La France physique et touristique

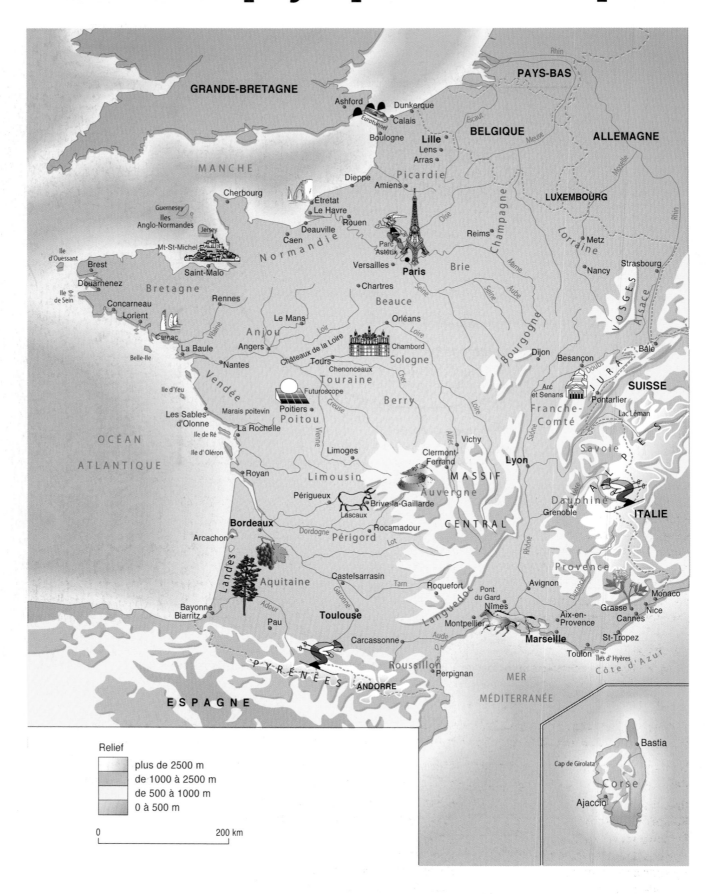

GRANDE-BRETAGNE
PAYS-BAS
BELGIQUE
ALLEMAGNE
LUXEMBOURG
SUISSE
ITALIE
ESPAGNE
ANDORRE

MANCHE
OCÉAN ATLANTIQUE
MER MÉDITERRANÉE

Rhin
Ashford
Dunkerque
Eurotunnel
Calais
Boulogne
Lille
Lens
Arras
Escaut
Meuse
Dieppe
Amiens
Picardie
Oise
Champagne
Lorraine
Metz
Moselle
Mosel
Reims
Nancy
Strasbourg
Rhin
Cherbourg
Étretat
Le Havre
Rouen
Marne
Brie
Aube
VOSGES
Alsace
Bâle
Guernesey
Iles Anglo-Normandes
Jersey
Deauville
Caen
Normandie
Paris
Versailles
Parc Astérix
Seine
Seine
Bourgogne
Dijon
Besançon
Doubs
JURA
Mt-St-Michel
Ile d'Ouessant
Brest
Douarnenez
Ile de Sein
Concarneau
Lorient
Bretagne
Rennes
Saint-Malo
Chartres
Beauce
Le Mans
Anjou
Loir
Orléans
Loire
Sologne
Chambord
Berry
Arc et Senans
Pontarlier
Franche-Comté
Lac Léman
Carnac
Belle-Ile
La Baule
Nantes
Angers
Châteaux de la Loire
Tours
Chenonceaux
Touraine
Chambord
Cher
Loire
Savoie
Ile d'Yeu
Vendée
Vilaine
Marais poitevin
Poitiers
Futuroscope
Poitou
Creuse
Allier
Vichy
Lyon
ALPES
Les Sables-d'Olonne
Ile de Ré
La Rochelle
Vienne
Limoges
Clermont-Ferrand
MASSIF
Ile d'Oléron
Royan
Limousin
Périgueux
Brive-la-Gaillarde
Auvergne
CENTRAL
Dauphiné
Grenoble
ITALIE
Lascaux
Bordeaux
Arcachon
Landes
Aquitaine
Dordogne
Périgord
Rocamadour
Lot
Rhône
Provence
Castelsarrasin
Tarn
Roquefort
Pont du Gard
Avignon
Durance
Grasse
Monaco
Cannes
Nice
Bayonne
Biarritz
Adour
Pau
Toulouse
Garonne
Nîmes
Montpellier
Aix-en-Provence
St-Tropez
Marseille
Toulon
Iles d'Hyères
Côte d'Azur
Carcassonne
Aude
Languedoc
PYRÉNÉES
Roussillon
Perpignan

Relief
- plus de 2500 m
- de 1000 à 2500 m
- de 500 à 1000 m
- 0 à 500 m

0   200 km

Bastia
Cap de Girolata
Corse
Ajaccio